東京喰種

TOKYO GHOUL

トーキョーグール

ISHIDA SUI

ishida sui

YOUNG JUMP COMICS

石田スイ

2

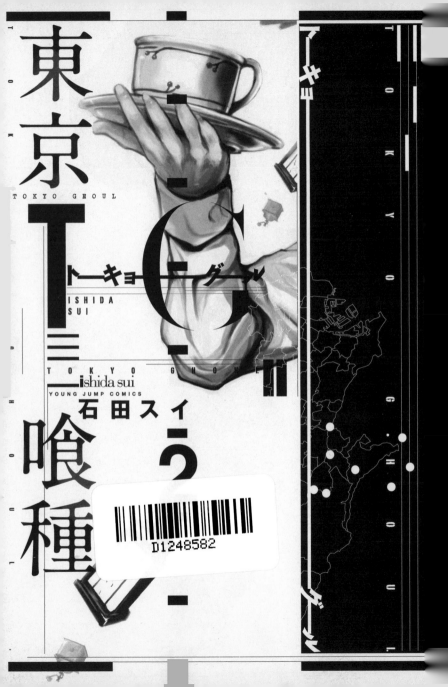

東京喰種

TOKYO GHOUL
トーキョーグール
ISHIDA SUI

CONTENTS

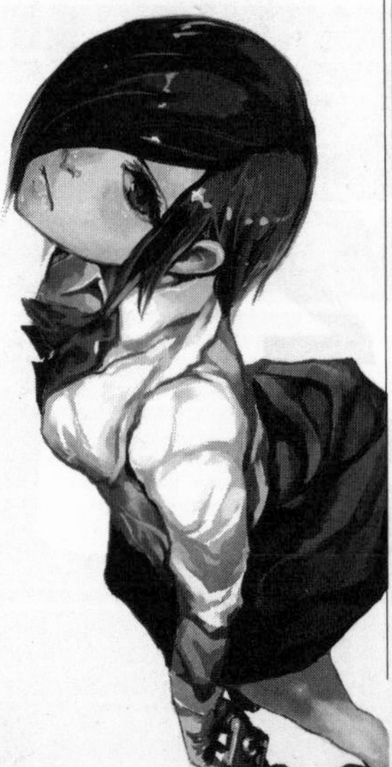

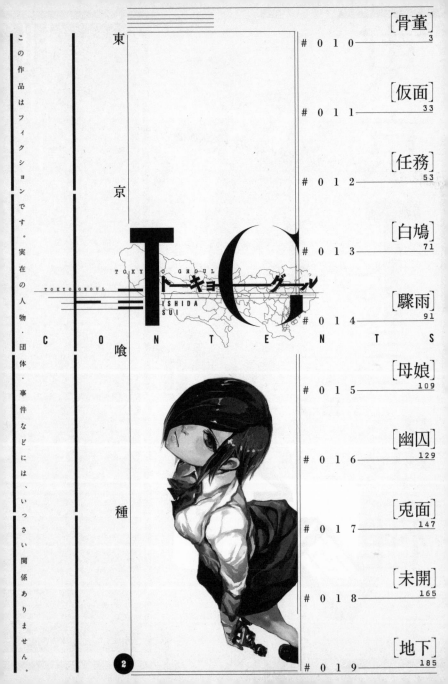

#010
TOKYO GHOUL
『20区』か…
ザ…
〝梟《フクロウ》〟の件以来だな 懐かしい
早くあの親子… 見つかると 良いのですが
見つけるさ その為に来たのだから——
止まれ

#010

TOKYO GHOUL

[骨董]

ANT
あんていく
リーチ
麻
OPEN
トポポ
——ゆっくり焦《あせ》らずに
平仮名の〝の〟の字を描くようにね
はいっ
プル
プル

……………!
ゴッ
──微妙…
…駄目だ
店長と比べると何か違います…
……
…コーヒーは手間をかけることで全く味が変わるんだ
人も同じ焦ることはないさ
フッ
…じゃあ そろそろ表でトーカちゃんを手伝ってもらおうかな
わからないことは彼女に聞くといい
……

大事な事をひとつ
？
「あんていく」はただの喫茶店じゃない
この店は20区の〝喰種《グール》〟が集う場所でもあるんだ
！
特に身構える必要はないけど
〝喰種〟のお客さんが店に来るという事は理解しておいて
グ…喰種がたくさん…
もちろん いつかの君のように人間のお客さんも来る
その時も普段どおりの接客を心がけてね
……
…あの…
〝喰種〟は世間から身を隠すべきなのに
人間のお客さんを入れてもいいんですか？
……人の世で生き忍《しの》ぶからこそ
彼らの事を学ぶ必要がある
──性格や行動傾向…
何気ない仕草 そして その意味…
モノの食べ方に至るまで
人間というのは我々〝喰種〟にとっては生きた教本なんだ
それに…

私は好きなんだよ
……ヒトがね
……!
えっ…
人間が好き…? どういう意味で…
さぁ 頑張っておいで
…あぁ ごめん! 最後にもうひとつ
…トランクや アタッシュケース
大きな手荷物を持った 人間が店に来たら
こっそりと 私に知らせなさい
はい… えっと…それは どういう…
…追々 説明するよ

あんていく
大きな手荷物には警戒…と
ブラックリストってやつ…?
!
そんでビックリしちゃってさー
こっちこい…!
……?
…!
おおうカネキィ!!

ヒ…ヒデ？
何でココに…
お前がバイト始めるってゆーからさ！
見に来てやったんだよ！
ここで働くのには驚いたけど
なかなか制服サマになってんじゃん！
あ…ありがとう
…それはいいけど来たなら何か頼めよ
霧嶋さん困ってるだろ
おう！
カプチーノ!!
カプチーノね
?
クイ
…トーカちゃんが淹《い》れてくれるのかな？
…あ…
はい…
そ…それじゃすぐにお持ちしま…
そういえばさ！
トーカちゃん！
……

今日はトーカちゃんにお礼を言いに来たんだよ！
…お礼？
バッカ お前…
車の事故に巻き込まれた俺たちを助けてくれたんだろが！
西尾《にしお》さんは怪我《ケガ》が酷《ひど》くて入院らしいけど…
俺らはトーカちゃんが看病してくれてたんだよね？
!?
あ…ハイ
アレ 居眠り運転だったらしいですよ
とんでもねえな！
——ああ…そういえば店長が…
そう説明しておいたから
正直 事故のことはよく覚えてないんだけど…
トーカちゃんがずっと傍《そば》にいてくれたような気がするんだよな…
ホント ありがとね！
…そうだッ お礼に今度ご飯でも…！
……
ニコ…

バレないようにしなよ
…あの〝ツンツン頭〟に
ニャー
大丈夫…会心の出来だから
僕が淹れたカプチーノとは気付かない…
違う
アンタが〝喰種《グール》〟だって事
あっ
ああうん…
店長が何考えてるかわからないけど…
「あんていく」で人間を看病なんてホント有り得ない
…もし何かのきっかけでアイツが私たちの事に気がついたら…
その時は…

アイツ
殺すから
…そ…
そんなのッ…!
感謝しなよ
!?
これでも
妥協してる方なのよ
本当なら
すぐにでも消して
おきたいくらい
誰かに正体を
知られてしまったら
今まで積み上げてきた
すべてが…
……
…私は店長に
止められてるから
……
〝喰種《グール》〟だって
バレない限りは
手を出さずにおいて
あげる…
ただ…

〝アンタに
致命傷くらって行方を
晦《くら》ませた〟ニシキが
!!!
アンタらに
危害を加えない
保証はないからね
西尾…さん…
ウチの店の客が
アンタの友達に
目を付けないとも
言い切れないし…
まあ…
ウチの常連に
そんな野蛮な奴は
いないだろうけど…
……
―とにかく…
友達のことは
アンタが
責任持つこと
いい？
……
死ぬ気で隠しな
バレたら私…
本気で殺《や》るから

ジャブジャブ
ーーバレたら終わり…
キュ
ヒデの前では自然な人間を演じないと…
……！
……"人間を演じる"？
……
……僕が？
カネキくんお疲れ様
あっ…お疲れ様です
ちょっと上に来てもらえるかな？
？…はい

えっ…??
サ…
サンドイッチ?
えっと…?
“喰種《グール》”として生きるための“レッスン”だ
ヒトの世界で生きる“喰種”は まず最初に これを学ぶ
見てなさい
えっ
ヒョイ
あ

ぱくっ
なっ…!?
もぐもぐ
……
食べた…!?
うんうん
ゴクン
ふう…
……
…どう?
す…すごくお…
美味しそうです…

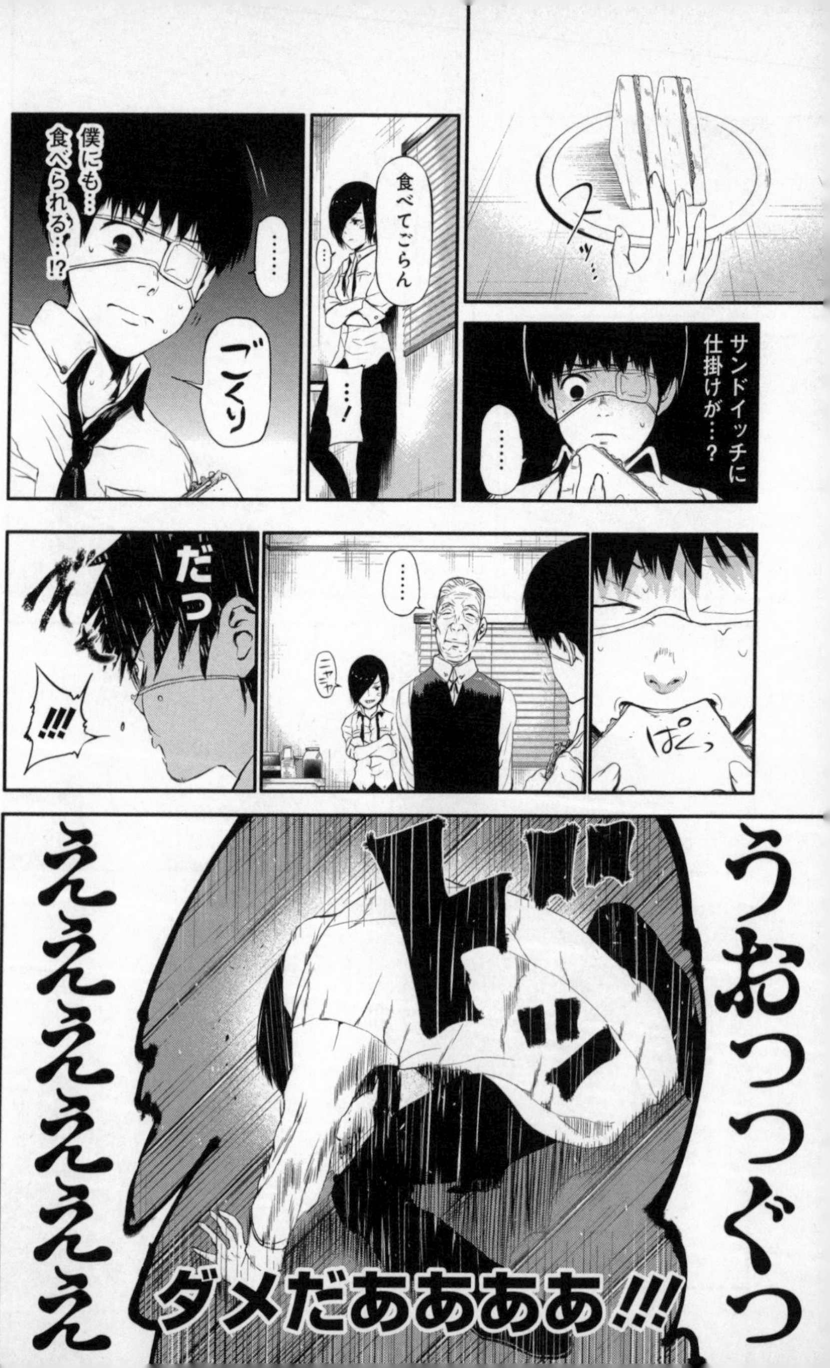
スッ…
食べてごらん
…!
…
……
ごくり
僕にも…
食べられる…!?
サンドイッチに
仕掛けが…?
……
ぱくっ
……
ニヤニヤ
だっ
!!!
うおっっぐっ
ええええええええ
ダメだあああああ!!!

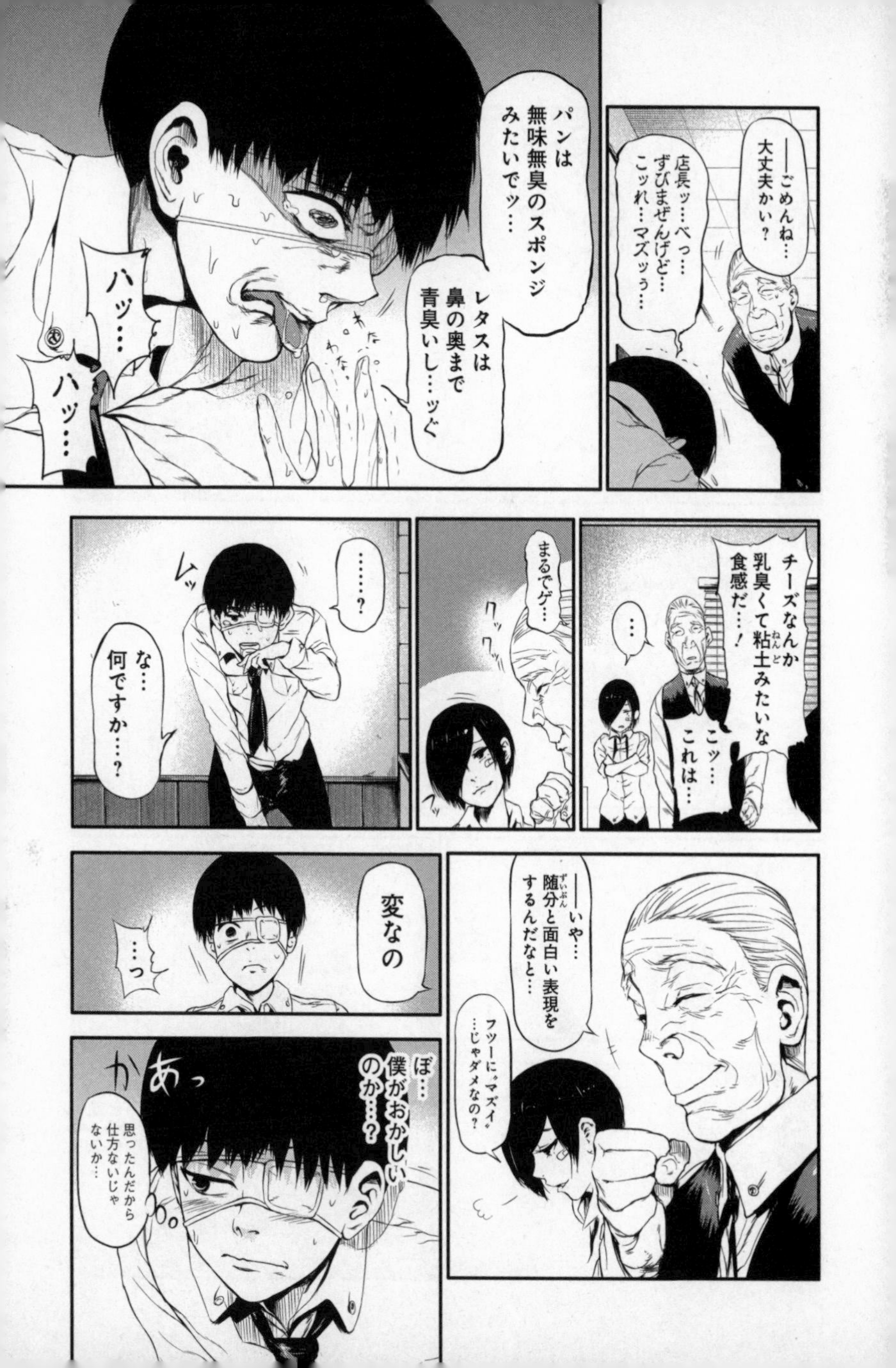
——ごめんね…
大丈夫かい？
店長ッ…べっ…
ずびまぜんげど…
こッれ…マズッぅ…
パンは
無味無臭のスポンジ
みたいでッ…
レタスは
鼻の奥まで
青臭いし…ッぐ
わた わた
ハッ…
ハッ…
チーズなんか
乳臭くて粘土《ねんど》みたいな
食感だ…！
…
こッ…
これは…
まるでゲ…
クックッ
……？
ムッ
な…
何ですか…？
——いや…
随分《ずいぶん》と面白い表現を
するんだなと…
フツーに"マズイ"
…じゃダメなの？
変なの
…っ
ぼ…
僕がおかしい
のか…？
思ったんだから
仕方ないじゃ
ないか…
かあっ

——コツは
"食べる"じゃなく "飲む"こと
噛んでしまうと マズ味《み》が広がって 吐き気を催《もよお》すから
馬のクソでも食ってる気分…
〈西尾錦《にしき》の場合〉
一口目で噛み切って 一気に飲み込む…
うん 絶妙な甘さ (…とでも言っておこう)
そして10回ほど「噛むフリ」
このときに咀嚼《そしゃく》音を出してあげると それらしくなるよ
くちゃ もちゃ
…あとは 美味しそうにしている 表情がつけば上出来
…ただ これが 最も難しい
……
消化が始まる前に 吐《は》き出すのを 忘れないようにね
そのままだと 体調を崩してしまうから
——"喰種《グール》"は…
トーカちゃんも やってあげたら?
私は今日 ちょっと体調 悪いんで…
……
ここまでして 人間を装っていたのか…

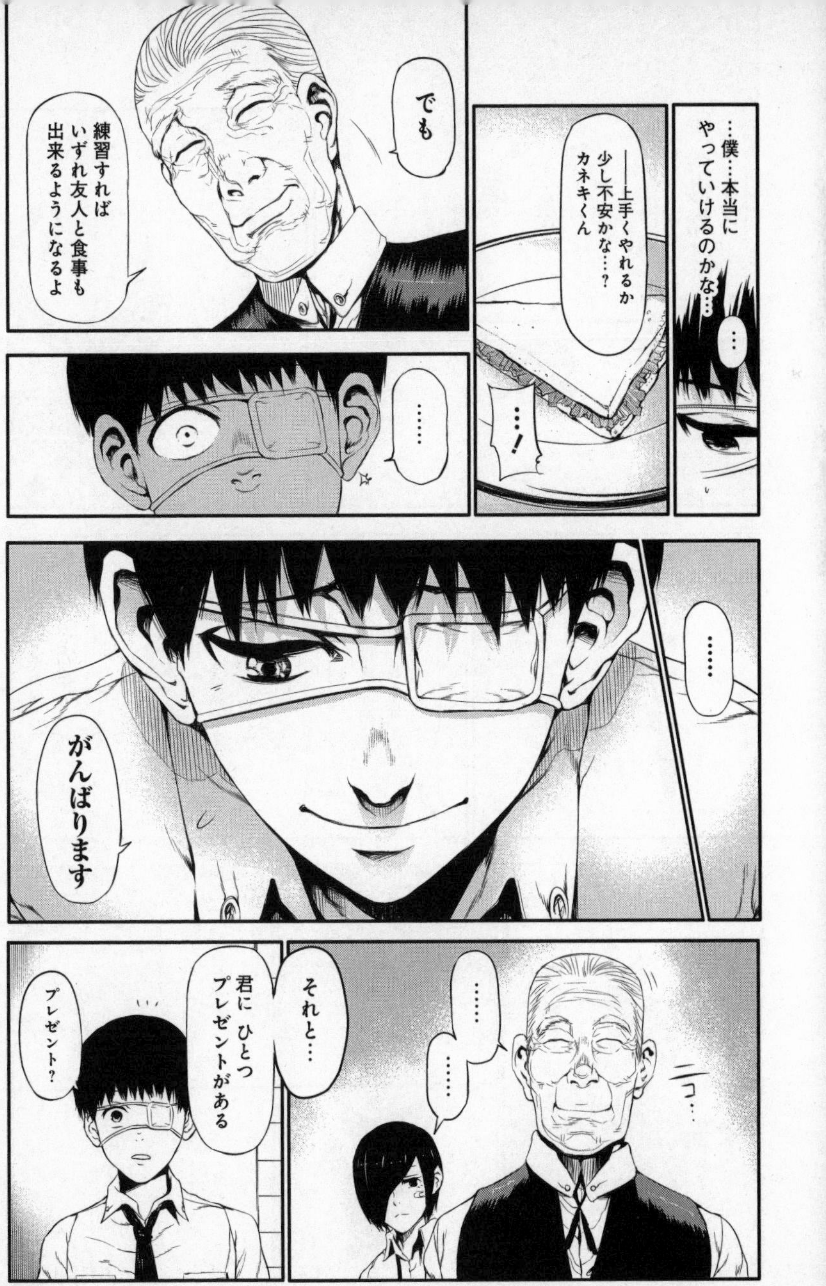
…僕…本当に
やっていけるのかな…
…
──上手くやれるか
少し不安かな…？
カネキくん
…！
でも
練習すれば
いずれ友人と食事も
出来るようになるよ
……
……
がんばります
……
……
ニコ…
それと…
君に ひとつ
プレゼントがある
プレゼント？

ヒトを口にするのは まだ抵抗があると 思ってね…
君のために 作ってみたんだ
…角砂糖？
なんか 茶色い…？
見かけは普通だけど 中身は少し違う
コーヒーに 溶かして飲めば
ある程度 空腹を 抑《おさ》えられるはずだ
!!
…すごい…！ 材料は 何ですか!?
…知らない方が いいんじゃないかな
えっ…
……
…でも これなら 食べられそうです
…ただ あくまで それは〝空腹を抑える〟 だけ…
…！
食欲がすべて 満たされる わけではない

〝喰種《グール》〟が満足ゆく生活を送るためには
やはり一定量の〝食事〟が不可欠なんだ
いざとなったら肉を口にすることも頭に入れておいて
……
──いざとなったら…か
──店長さんたちお元気してるかしらね？
…うん
カラン
カラン…
いらっしゃいませー…

あら…
新人さん？
──常連さん
…かな？
あ…はい
カネキと申します
笛口《ふえぐち》です
ほら…雛実《ヒナミ》も
ご挨拶なさい
綺麗な
お母さんだな…
ビクッ
……！
…ああもう
この子ったらまた
人見知りして…
中学生
くらいかな…？
こんにちは
こんにちは…

──あ！ リョーコさん ヒナミ
こんにちは トーカちゃん
ヒョイ
店長2階で 待ってますよ
どうぞ
………
……〝喰種《グール》〟なの？
そ
見た目は本当に 普通の親子っぽいんだけどな…
店内で 話さないの？ お客さんも いないのに…
〝荷物〟を受け取りに 来ただけだしね
…荷物？
チラ

……………
肉
……！
肉…？
え…な…何で？
…アンタと一緒よ
自分で狩れないから

狩れない…？
どういうこと？
何かそういう決まりでもあるの？
年齢制限とか女性はダメとか…
イラッ
ニャーニャーうっさいんだよッ
知りたいなら直接聞け！
そういう〝喰種《人たち》〟もいるってこと！
…ニャーニャー
言ってました？僕…
……
……でも…
──ヒトを狩れない〝喰種《グール》〟…？
──クッソ…
あのガキ…
こっちを通ったハズなのに…
ゴオ

チクショウッ
完全に見失っちまった…
あのツンツン頭さては気付いて…
クソッ!! 腹減った…
リゼが暴れてたせいで
こっちは全然喰えて…
!!
のそ…
のそ…
──ガリガリのオッサンか…
…もうコイツでも構わねぇ…
つーか
誰でも良いイイイイイッ!!!
……

パ
んあ!?!?
っが!!
おやおや 飛んで火に入る 何とやら…
ゴロッ
『〝喰種《グール》〟対策法』12条1項
『赫眼《かくがん》および赫子《かぐね》の発生が確認された対象者を
第Ⅰ種特別警戒対象 別称〝喰種〟と判別する』
ザッ
!?
——同条2項
『〝喰種〟と判別された対象者に関して』
ま…まさか… そんなァ…ッ…
お…おおお お前ッ嘘だろッ…!!??
『あらゆる法はその個人を保護しない』
ガタ ガタ ガタ

ギコ
ギコギコ
ギコギコ
ギコギコ
ギコ
ギコ
――お待たせしました
〔CCG〕《対策局》から“喰種《グール》”の情報が……
…ってどうされたんです？
コレ
いや…ちょっと馬鹿な“喰種”に襲われてね…
ああそうでしたか
…しかしよりによって我々を狙うなんて
…羽虫《ケラ》が自ら蜘蛛《クモ》の網に引っ掛かりおったな
極めて愚劣《クズ》な“喰種《クズ》”ですね
真戸《まど》さん
全くだよ亜門《あもん》くん
一等捜査官　亜門　鋼太朗《こうたろう》
上等捜査官　真戸　呉緒《くれお》

……
——まずは20区の〔CCG〕支部に足を運ぶとしよう
そうですね 支部長から聞くべき情報も…
ドッ
……
…亜門くん? どうした?
……いえ… 視線を感じたような気がして…
尖《とが》ってるねぇ アカデミー出身者は気合の入りが違うなァ
…少し神経を張り詰《つ》めすぎですかね…ハハ
……

#011 [仮面]

――〝マスク〟…
…ですか？
そう マスク 君も持っていた方がいいと思ってね
はぁ…
私たちもひとつは持っているし
…でも マスクなんか着けたら僕…
うおおおおカネキなのか!?
まさしく
右目しか見えないぞ…
トーカちゃん
…はい？
なんスか
次の休み カネキくんのマスク作りに付き合ってあげてくれない？
はっ!?

何で私が休日にわざわざこんな奴と…
……
…カネキくん一人じゃ迷子になるだろうし…
"ウタくん"と二人きりじゃ 彼も怖がっちゃうでしょ
…た
確かにそうですけど…
…でも別に まだマスクは必要ないんじゃないですか?
それが…
四方《よも》くんから聞いた話なんだけど…
ヨモさん?
『捜査官』が二人ウチの区に…
……!!
万が一を考えればすぐにでも持たせておきたい…
…?

…わかりました
眼帯！
ギロり
土曜4時半に新宿駅東口…
遅刻したらぶっ殺す
……
…はい
MEN'S SALE
新宿駅
SHINJUKU STATION
P
青春

まだかな…
もう結構待ってるのに…
17:13
4時から
痛《いて》エッ!?
ドゴッ
……
……
…こんにちは
そっち遅刻じゃ…いや…いいけど…
ゴニョ
ゴニョ
!
クルッ
無視!?
ちょ…ちょっと待ってよ…
タッ…

……
私服…新鮮だな
こうして見ていると…
彼女が"喰種《グール》"だなんて到底思えない…
"普通の女の子"って感じだ…
…何？
…！
べっ…別に…
じゃー見んな
結構 奥の方なんだね
……
本当に奥の…
あの…どこまで行くの…？
スタ
スタ

ここ
HySy ArtMask Studio 13:00~21:00
OPEN
HySy ArtMask Studio
何か…
すごく妖《あや》しいんですけど…
コン
コン
ギィ

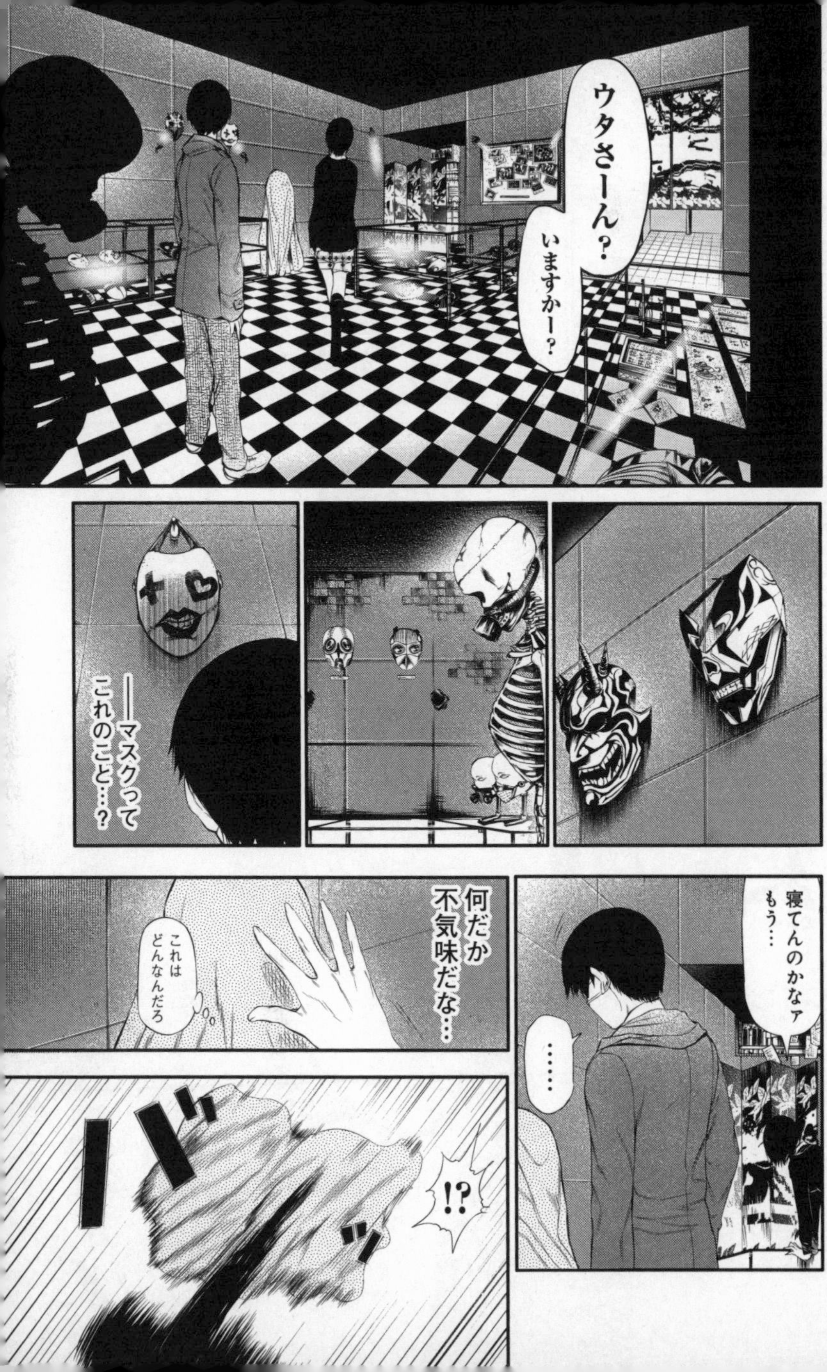
ウタさーん?
いますかー?
ーーマスクってこれのこと…?
寝てんのかなァもう…
何だか不気味だな…
これはどんなんだろ
……
バッ
!?

うわああああああああああああッッ!!!
!?
……
…何やってんですか…
ウタさん
じー
……
……………
…ビックリさせようと思って…
……………

―ウタさん 喰種《グール》のマスク作ってくれる人
ウタです…
CLOSE
ピアスにタトゥー… すごい見た目だな…
怖い…
カネキです… よ…よろしくお願いします…
ヒョイ
…!
きみが芳村《よしむら》さんが言ってたコか…
…!?
くんくん
…匂《にお》い変わってるね

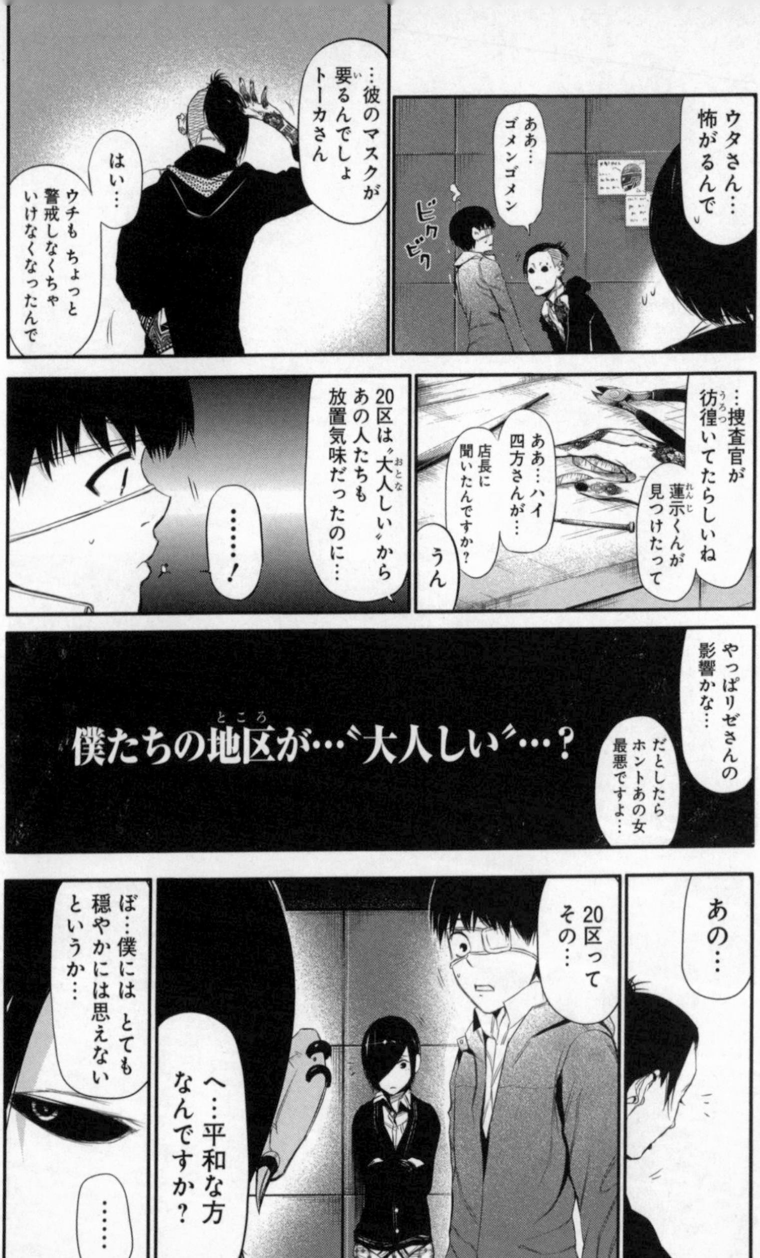
ウタさん…怖がるんで
ああ…ゴメンゴメン
ビクビク
…彼のマスクが要《い》るんでしょトーカさん
はい…
ウチも ちょっと警戒しなくちゃいけなくなったんで
…捜査官が彷徨《うろつ》いてたらしいね
蓮示《れんじ》くんが見つけたって
ああ…ハイ四方さんが…
店長に聞いたんですか?
うん
20区は〝大人《おとな》しい〟からあの人たちも放置気味だったのに…
……!
やっぱリゼさんの影響かな…
だとしたらホントあの女最悪ですよ…
僕たちの地区《ところ》が…〝大人しい〟…?
あの…
20区ってその…
へ…平和な方なんですか?
ぼ…僕には とても穏やかには思えないというか…
……

一回 他所《よそ》で生活してみたら わかるよ
1区から4区なんて 基本 住めたもんじゃ ないし…
あと13区とかも 血の気が多くて 怖いなぁ
??
…ウチは同種が多いから 喰場《くいば》争いなんて しょっちゅうだし…
ラッキーな夜は『共喰い』とかも見れて 退屈はしないよ
…何ならぼくんち 泊めてあげよっか
いっ …いや いいいい… いいです…
……
…20区は良いよ… のどかで…
〝あんていく〟が あるってのが 大きいんだろうね
…座って サイズ測ろう
ぽん
いくつか質問
アレルギーはある？ ゴムとか金属系…
いえ特にないと 思います…
フルフェイスに する？
最初だし ハーフマスクが いいかな…
……?? お…お任せします
…眼帯かわいいね 好きなの？
あっ… えっと…

お腹が減ると自分の意思と関係なく眼が赤くなっちゃうんで…
外に出る時だけつけてます
…お腹いっぱいにすればいいのに？
あげようか？おやつ
コロコロ
い…いいです
…でも そっかなるほどね…
眼帯…うんうん…
…そうだな…あとは何を聞こうかな…
…カネキくんは恋人とかはいないの？
えッ!?
いないです…！居たことない…
ふぅん そうなんだ…
きみは…アレだね同世代の女の子より
年上のお姉さんあたりに可愛がられそう…
かみかみ
ど…どうですかね…
全然そんなコトは…
カネキくんとしては年上より年下が好み？
ギチ
えっと…年が近ければ特には…
うわっ喰べてる…
ビクッ
…というか この質問って何か関係あるんですか…？

大いにあるよ
きみのこと色々知ってた方がモチベが上がる…
ピッ
……
トーカさんはどうなの？可愛いと思うよ
へっ…!? トーカちゃん？
いや…彼女はちょっと怖いから…
怖い…？
怖いかなどうだろう
うーん…
ぼくは「努力家だなぁ」って思うけど
…〝努力家〟？
……
…ぼくらが人間社会に溶け込むのなんて
言っちゃえば〝終わりのない綱渡り〟みたいなもんでさ…
毎分毎秒〝進むか堕《お》ちるか〟のギリギリで…
足がもつれたら眼下の奈落へ真っ逆さま…
渡ってきた距離なんか関係なしに その瞬間すべてがパアになる…

この綱も
自分の選択次第で
具合が変わってさ
『会社や学校に通う』
『人間の知人を作る』…
人間と
深く関わるほどに
渡る綱は細くなってく…
何もしなければ
それが一番
いいワケだからね
そういう意味では
トーカさんは
〝すっごい細い綱〟
を渡ってる
「あんていく」の
仕事もそうだし
高校生活や
友達のことをとても
大事にしてるから…
……
…自分の身を
危険に晒《さら》して
まで…
ヒトと交わろうと
する理由って
何でしょう…
……何だろうな
たしかに
人里離れて生きれば
安全だもんね…
…うん
…でもね
ぼくもたまーに人間の
お客さんが来ると…
こう…ドキドキ
してさ…
……うまく
言えないけど…
たのしいよ
…よし
採寸終わり
マスクが出来たら
「あんていく」に送るね
……

──アンタさァ
ウタさんの見た目に完全にビビッてたでしょ?
う…うん正直…
でも全然外見と違うね 話し方とかも優しいし…
けど…
あの人もヒトを殺して喰べるんだよな…
う〜ん…
──ところでさ あのマスクって何に使うの?
あぁッ!? アンタ知らないで来てたの!?
ったく…店長…肝心なトコで説明不足なんだから…
〝喰種《グール》捜査官〟ってわかる?
アンタでも名前くらい聞いた事あるでしょ?
あ…うん ニュースとかで聞くし…
よくは知らないけど
…イカれたクソ野郎ども 私たちを殺したくてウズウズしてる…
そいつらと素顔晒してやりあって もしも決着がつかなかったら〝面倒なこと〟になんのよ
…だからマスクを着ける

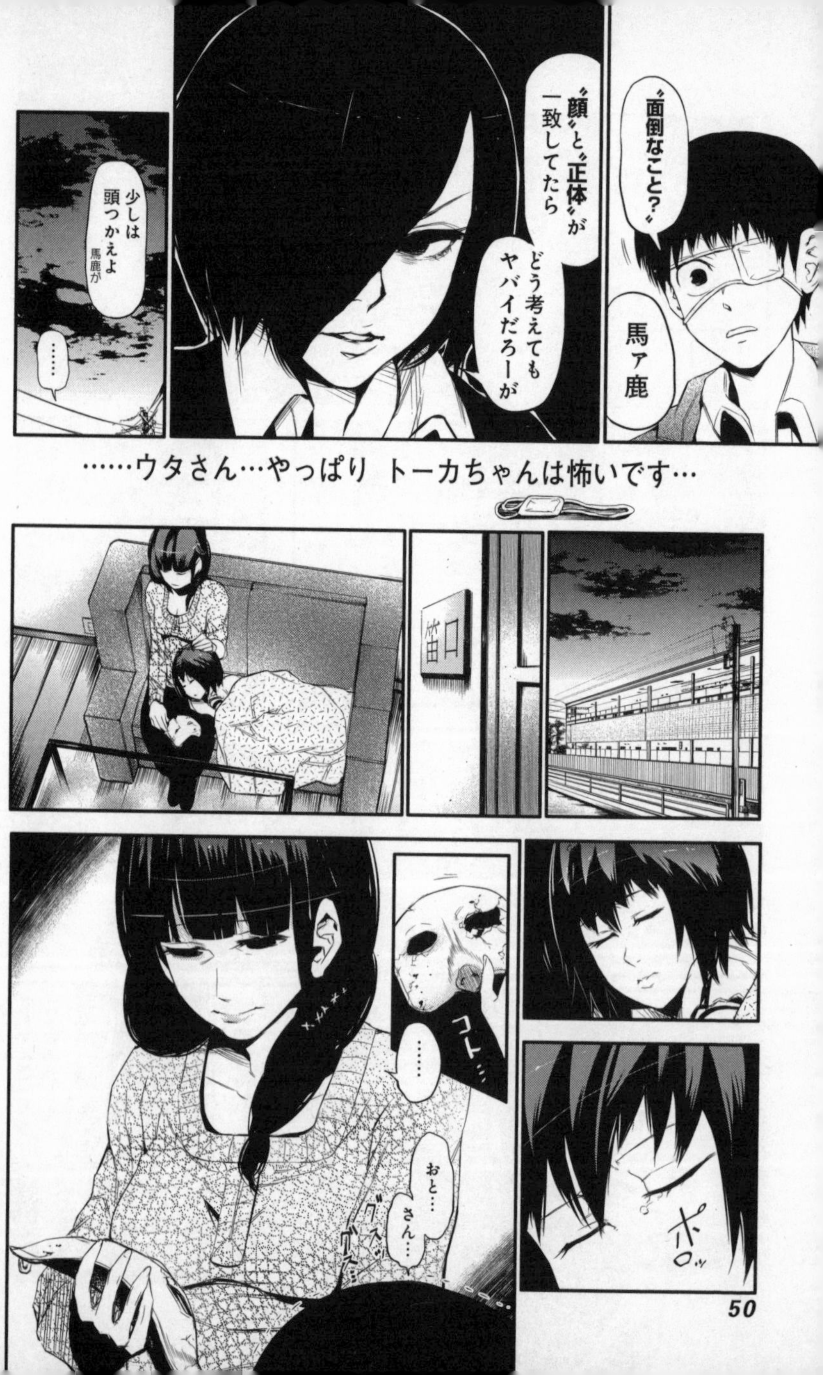
〝面倒なこと?〟
馬ァ鹿
〝顔〟と〝正体〟が一致してたら
どう考えてもヤバイだろーが
少しは頭つかえよ
馬鹿が
……
……ウタさん…やっぱり トーカちゃんは怖いです…
笛口
……
コト…
おと…さん…
グスッ
グスッ
ポロッ

#012
TOKYO GHOUL
ギュ…
…………

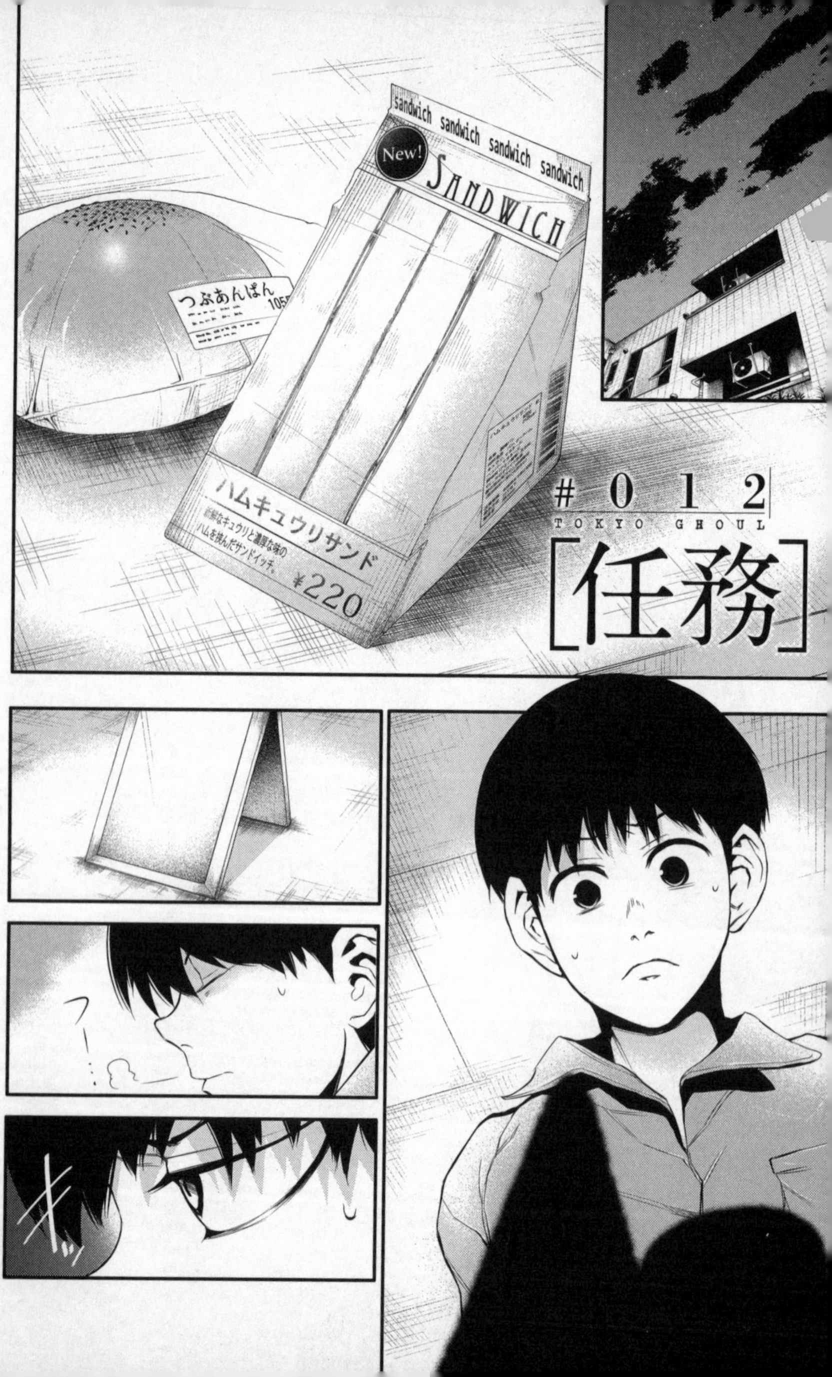
sandwich sandwich sandwich sandwich
New!
SANDWICH
つぶあんぱん
105
ハムキュウリサンド
新鮮なキュウリと濃厚な味の
ハムを挟んだサンドイッチ。
¥220
#012
TOKYO GHOUL
[任務]
フー…
ギッ

いただき…
ますッ
ぱくっ
一口大《ひとくちだい》に噛み切って…
ガツッ
一気に飲み込む!!
ヅッヅッヅッ
喉の奥で…
ハム 獣の生皮を貼り付けたような嫌な感触
キュウリ 甲虫《こうちゅう》が集《たか》っているような臭みが広がって
味がするッ!!!

バッ
ぐっ…
うううう…
駄目…だ…
吐き…そ…
っぷー…
……………ツッ
ーークソッ…
グッ
クソオッ!!!
ゴクン
……ツッ

はぁ…はぁ…
……
──10回
噛むフリ…
もし…
最後に
美味しそうな顔が
出来れば上出来…か
……
……
…はは
ちゃぽん
──先は
まだまだ長そうだ…
すごいや
店長は…

上井 大学前
kamii daigaku mae
――カネキ お前さ…
ん?
最近 顔色良くなってきたな
えっ…
そ そう?
おう 一時期は ゾンビみたいに真っ青だったぜ
〝ゾンビ〟ね…
顔色は〝角砂糖〟のおかげかな…?
…バイトの方はどうよ?
うん… ちょっとずつ慣れてきたよ
トーカちゃんは俺のこと 何か言ってなかった?
うん 何も
……
BLACK

……ほう！
これをかわす奴を久々に見たよ！
お見事　お見事…
ジャキキキ
スタ
スタ
…そう言えば…
…この間殺したメスの"喰種《グール》"の"旦那《つがい》"はなかなか手強くて苦労したな…
そんなことを思い出したよ…クク
反対にメスの方はなにも出来ず惨《みじ》めに死んでいったなぁ…
ハハハハハハハ…！
あれは笑えたなあ…クハハハハッ
ギリリッ…
テメエェ…

熱意は買うが
冷静さを欠いては
ならないぞ　亜門くん
ギャチチチ…
手本だ
見
て
ろ
……

あの…永近《ながちか》くん…
？…はい!?
…だよね？
あっ…たしか西尾さんの…
彼女…さん？
……
ゴソ
ゴソ
これ…ニシキ君から
DVD…？
あっ 学祭の資料…！
それじゃ渡したから…
クルッ

あ…
あのっ！
ピクッ
西尾さんってどこに入院してるんですか!?
俺たちも見舞いに行きたいんですけど…
……
キュッ
タッ
あれっ…
行っちまった…
何か俺気に障《さわ》ること言ったか…？
……
…西尾さんは入院なんかしてない…

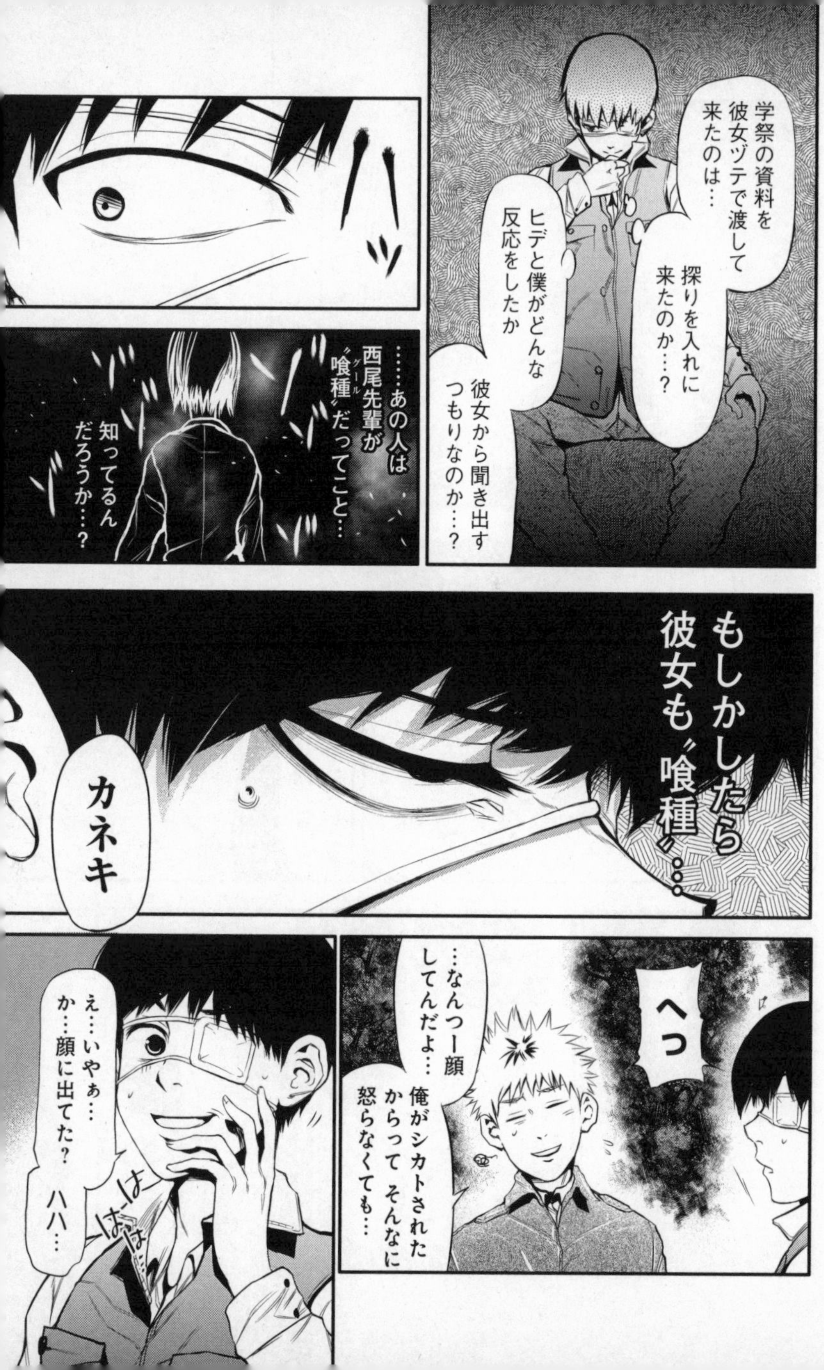
学祭の資料を彼女ヅテで渡して来たのは…
探りを入れに来たのか…？
ヒデと僕がどんな反応をしたか
彼女から聞き出すつもりなのか…？
ハッ
……あの人は西尾先輩が〝喰種《グール》〟だってこと…
知ってるんだろうか…？
もしかしたら彼女も〝喰種〟…
カネキ
へっ
…なんつー顔してんだよ…
俺がシカトされたからってそんなに怒らなくても…
え…いやぁ…か…顔に出てた？
ハハ…
はは…

——今日もバイトか？
うん
そっか 無理すんなよ
——“白鳩《ハト》”が20区《ウチ》にも現れたってな
近江《おうみ》は奴らに殺《や》られたらしいぞ
たまに自制の利かない奴だったからな…
しかし 20区も物騒になってきたな…
…“喰種《グール》”の世界は情報が何より重要のようだった
そして情報は「あんていく」に集まる…
今まで以上に慎重にならんとな
最近の話題は“喰種捜査官”のことでもちきりだ
“ハト”って捜査官のことかな…？

カネキくん お疲れ様
あっ
店長 お疲れ様です
ウタくん マスク順調らしいよ
〝降りて来た〟って
創作意欲が
沸いてます…
そ…そうなんですね…
チラッ
…トーカちゃん今日休みなんですね
コーヒーおかわり
ふたつッスねー
うん テスト期間中だからどうしてもって
いつもたくさん手伝ってもらってるし
看板娘も たまには休ませてあげないとね
…それでカネキくんにお願いなんだけど…
……糞《クソ》が

今日の夜って空《あ》いてるかな？
はい えっと…
店の片付けとかですか？
ウチのスタッフと“食糧調達”に向かってもらいたいんだ
!!
しょ…“食糧調達”って…!!
ゴゴゴゴゴ
いつもトーカちゃんに頼んでいたからさ
今日はカネキくんにお願いできないかと思ってね
ぼ…僕は人殺しはッ…
!?
ああ違うよ
えっ…？
人を殺《あや》めるようなことではない
違う？？

人殺しじゃない
〝食糧〟の調達って…
コーヒーの買い出し
じゃないよな…
……
…わかりました
誰かを傷つける事
じゃないなら…
よかった
ありがとう
じゃあ
四方くんには
そう伝えておくね
…！
……〝ヨモさん〟？
―名前は
ちょくちょく聞くけど…
歩行者
自転車専用
どんな人
なんだろう…？
怖い人じゃなきゃ
いいけど…
ゴゥゥ
ウーー…

…!
ガチャ
ザッ…
………
えっと…四方さんです…か?
ぼ…僕 金木研《カネキケン》です トーカちゃんの代わりに…
もう聞いてる
ジッ…
さっさと乗れ
……
コワイんだー…

―何か怖い人だな…
ウゥゥン…
全然喋《しゃべ》ってくれないし…
こ…この車って四方さんのですか?
違う
どうにか打ち解けたいけど…
………
じゃあ誰の…
………
……喋ってくれよ……
………
ブォン

――うっわ…高い…
ここで 何を するんですか？
………
………
また無視かよ…
ムッ
一体 下に 何があるって…
ギ
…おい
そこ 老朽化して…
へっ
キ

うわああああああッ
ぎゃ

ガッ
つく…ッ!!
ドォォ
だっ!!
……ッ
……!
…死んだかと思った…
パラ…
ソッ
ドクン
ドクン
……
無傷…
…あんな所から落ちて助かったのか…
この身体のおかげか…
シィイイイイイイン
──ここは…?

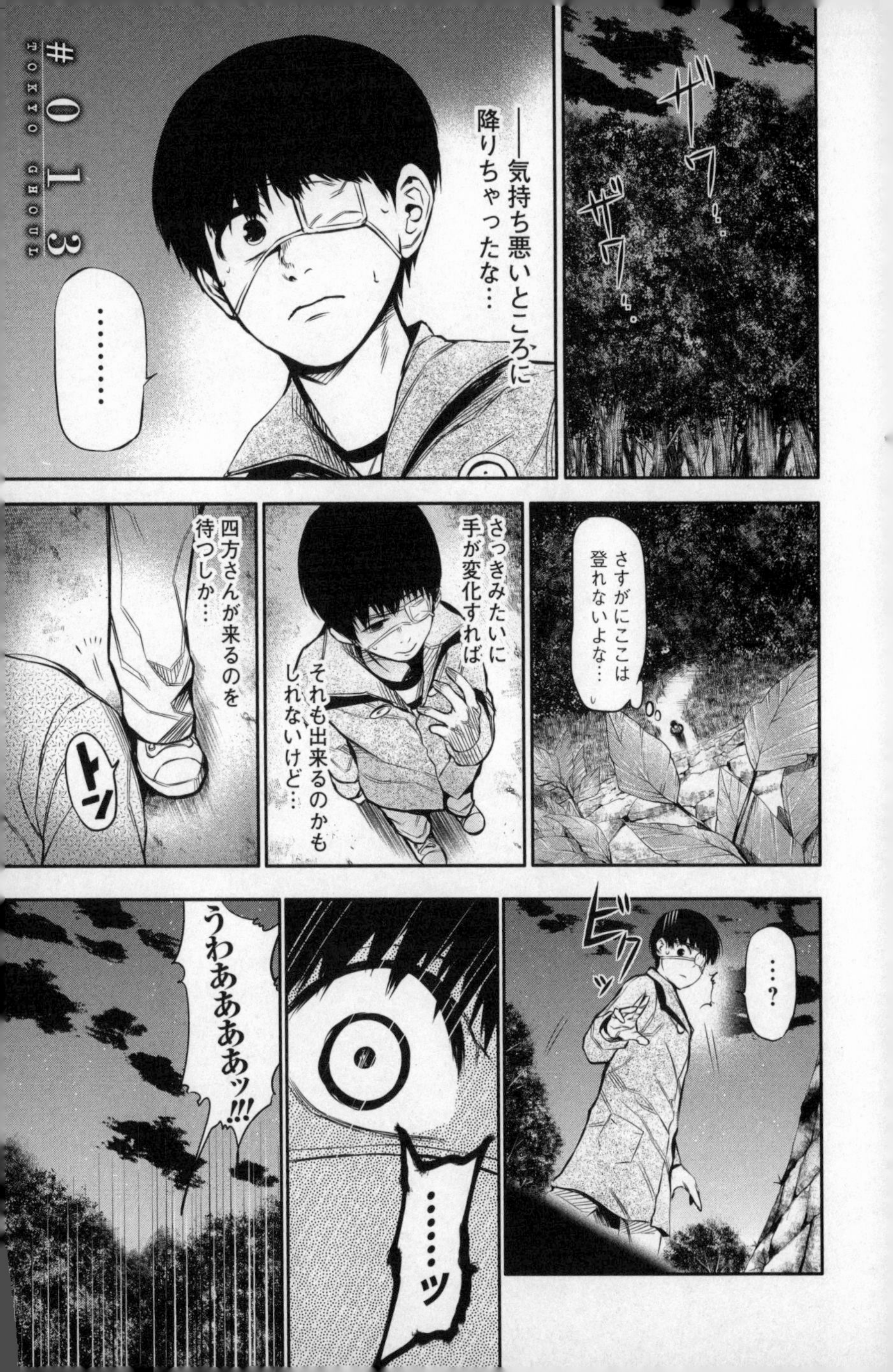
#013
TOKYO GHOUL
ザワ…
ザワ…
—気持ち悪いところに降りちゃったな…
………
さすがにここは登れないよな…
さっきみたいに手が変化すればそれも出来るのかもしれないけど…
四方さんが来るのを待つしか…
トン
ビクッ
…？
うわあああああッ!!!
……ッ

#013
[白鳩]

ドォオオン……
たんっ
ジャッ
パタタタ
……
ガタ
あ…ッ……
あああ…
ガタ
ガタ

……
ガタ
ガタ
ガタ
初めてか？
ビクッ
……ッ
死体を見るのは
…上にもう一台車が停《と》めてあっただろう
おそらくその人間が所有していたものだ
…ここはよく人が死ぬ
…自分の意思でな

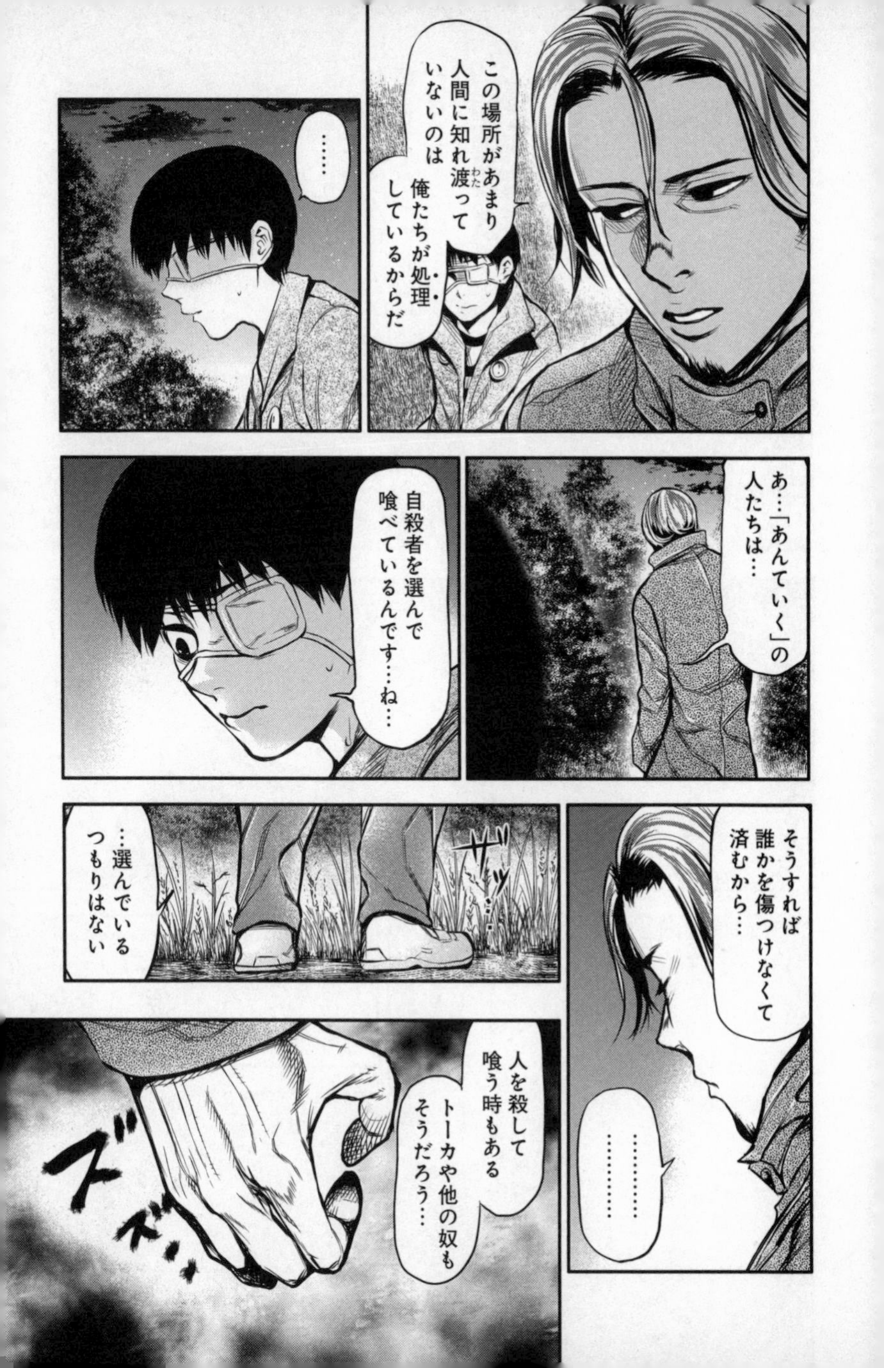
この場所があまり人間に知れ渡《わた》っていないのは俺たちが処理しているからだ
……
あ…「あんていく」の人たちは…
自殺者を選んで喰べているんです…ね…
そうすれば誰かを傷つけなくて済むから…
…選んでいるつもりはない
ザッ
………
人を殺して喰う時もあるトーカや他の奴もそうだろう…
ズズ…

俺は芳村さんに頼まれてやっているだけだ
……!
…そうでなければわざわざ お前とこんな所へは来ない…
ドサッ
えっ
詰《つ》めろ
俺は向こうの〝もう一体〟をやる
……
ぼ…僕が…〝これ〟を詰める…?
むッ…むむ…む…むり…
無理無理無理無理 絶対ッ…
ガタ
ガタ
ガタ
……
…もういい 向こうへ行ってろ
あっ…

……ッ
—何だよ…こんなこと僕にできるわけ…
ス…
……!
………
……

──さっきのアレ…
どういう意味だろう…
人間とか
興味なさそうだけど…
可哀相って気持ちは
あるのかな…？
ウゥゥゥゥ…
…！
キッ
…？
スッ…

──笛口さん
タッ
……あっ……
四方くん…… 奇遇ね こんな所で……
…危険だから 一人で出歩かないように 言われたでしょう……
送ります 俺の車に乗って ください
あっ……ええ……

あら…
カネキくん？
……！
あっ…えっと…
笛口さん…
こんばんは
お邪魔するわね
今日は珍しいわね
いつもは
トーカちゃんと
一緒だから
トーカは休みです…
コイツはその代役です
ガッ
そう…カネキくん
大変だったでしょう？
私たちのために
ありがとうね
い…
いえ 僕は…
何も
してないです…

…別に これは
あなたたち母子《おやこ》のため
だけじゃありませんから
礼なんて
必要ないです
…………
……怒って
ますよね…？
私が夫の墓へ
通うから…
…！
…俺は あなたに
旦那さんの所へ行くなと
言っているわけじゃない
一人で行動する事が
問題なんだ
〝白鳩《ハト》〟をおびきよせたのは
リゼじゃない
奴らが捜《さが》しているのは
貴女《あなた》だ

〝ハト〟…〝喰種《グール》捜査官〟が笛口さんを追っている…？
20区に来た捜査官は彼女と関係があるのか…？
リョーコさん
ヒナミを巻き込みたくないならこれからは…
わかってます
………
もう…
わかってます
……
…芳村さんから聞きました
彼らがもうそこまで追っていると…

今日はお墓に
マスクを埋《う》めてきたの
…！
…いつまでも
あの人に縋《すが》っていては
駄目よね…
私が甘えてちゃ
ヒナミが
甘えられないもの
—どの世界でも
子を想う母親は…強いらしい
……
—戻るか
はい

――720番 722番は特に動きなし
CCG 二十区支部
721番は昼食にドーナッツマイスターのチョコクランキーとシナモンパウンド
ペラ ペラ
飲み物にホットコーヒーです
表情〔変化なし〕化粧室の利用もないか…
注文のコーヒーが気になるところだな引き続き要調査
723番はどうです？20区の担当方
は…はい被疑者は電車を使って5つ目の駅で下車
さらに移動しB地点へ移動 一度は見失いかけましたが…
資料C地点“石碑《せきひ》のようなもの”の前で再確認
十数分の滞在後徒歩で移動を開始 知人の車に乗り合わせ帰宅した模様です
……
車のナンバーは？
…あっ…

えっと…すみません
確認していません…
それと
石碑は実際は〝墓〟では？
No.0696
No.723
埋蔵品《まいぞう》に696番の〝喰種《グール》〟との関連性が見出せれば
723番は〝喰種《クロ》〟と確定する
何故そこまでやらなかったんです？
……
わ…
私に墓を漁《あさ》れと!? そんなことッ…倫理に反していますよ…！
本局と我々とではやり方が違うんですよ
〝倫理〟…？
〝倫理〟で〝悪《喰種》〟は潰《つぶ》せません
我々は〝正義《捜査官》〟
我々こそが〝倫理〟です
……ッ

―20区の捜査官の怠慢《たいまん》ぶりには正直呆《あき》れました
惰性で仕事をしていて…ツメが甘く使命感に欠ける！
カッ
カッ
そんなことだから〝喰種《グール》〟どもにいいようにやられる…！
…まあ そう青筋《あおすじ》を立てるな亜門くん
だからこそ 我々がここに居るのだろう
君の心は熱く義憤《ぎふん》の炎に燃えている…
その業火《ごうか》は火の粉を辺りに散らし飛び火せんばかりだ
君の その火は正しき世界を求める者達には必ず燃え広がってゆくだろう
要は 胸の内に〝松明《たいまつ》〟を持っているかどうかだ
火を灯《とも》すためのね
私も〝松明〟を持っているつもりだ君にはいい影響を受けているよ
真戸さん…

だが 今日は
流石《さすが》に歩き疲れた
君は歩くのが速い…
続きは明日だ
またロビーで落ち合おう
…お疲れ様です
ん…？
子供…
…局で抱えている
孤児か…
………
………
クソッ…
休んで
いられるかッ！

──こんな世界は間違っている…
ザクッ
はぁ…
はぁっ…
っく…
……!
ザザッ
〝696番《喰種》〟のマスク…!
〝723番《喰種被疑者》〟は〝喰種《クロ》〟──!!
……ッ
!!!

ヨモ

#014
TOKYO GHOUL
〔CCG〕20区支部
…まさか あの後 一人で向かうとは…
696番 喰種マスク
君の行動力には 驚かされるな…
流石《さすが》はアカデミーの 首席と言った所か
………
やるべきことを やったまでです "喰種《グール》捜査官"として
……
何にせよ これで ようやく動ける

…小道具は揃《そろ》い 役者の準備も整った…
…あとは舞台へ 上がるのみだ
…723《ヤツ》番が私のコレを どう"感じるのか" 楽しみだよ…
ククク…
スッ
スッ
#014
TOKYO GHOUL
[驟雨]

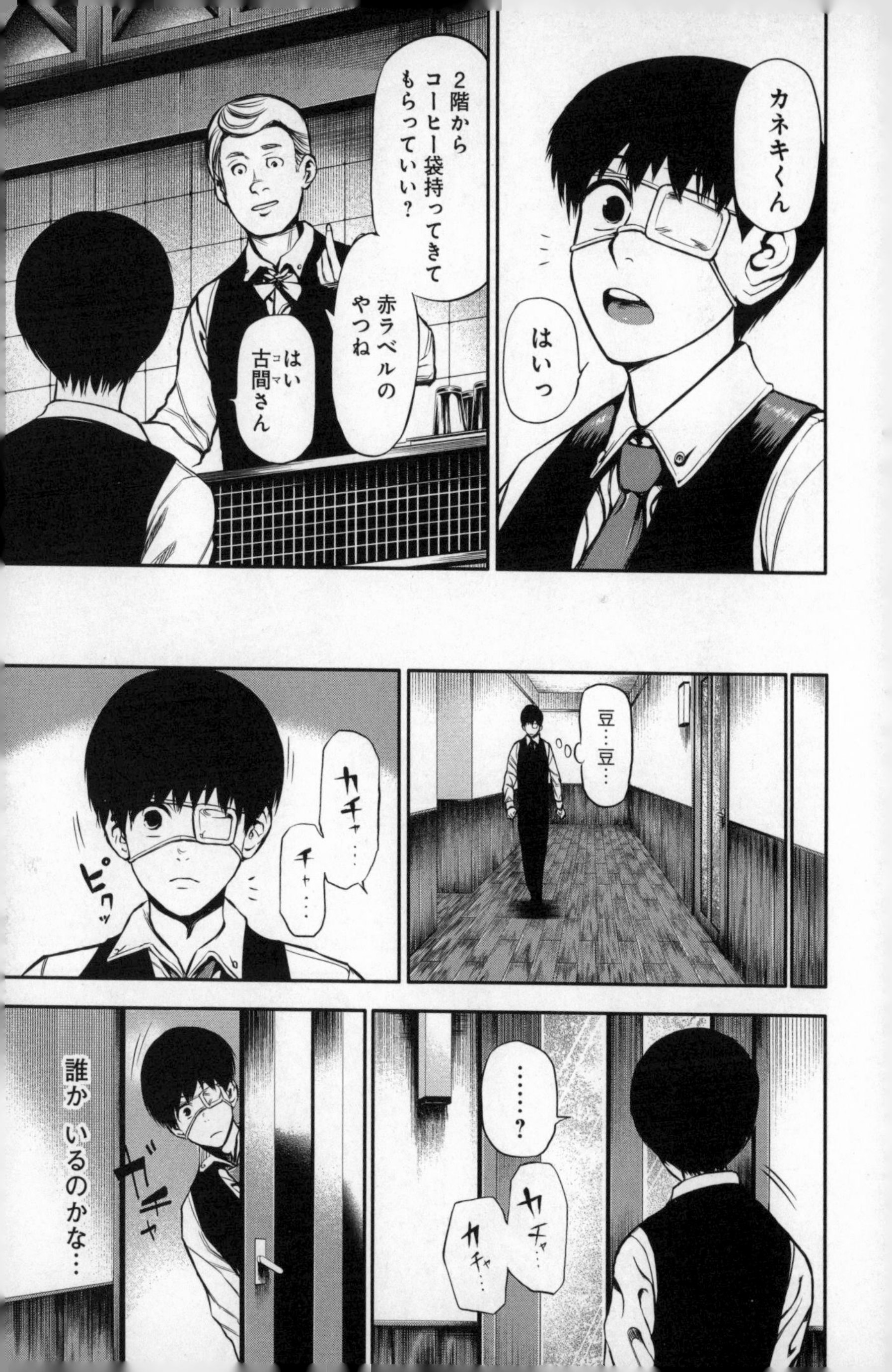

カネキくん
はいっ
2階から
コーヒー袋持ってきて
もらっていい？
赤ラベルの
やつね
はい
古間《コマ》さん
豆…豆…
カチャ…
チャ…
ピクッ
……？
カチャ…
カチャ…
ガチャ
誰か いるのかな…

……
カチャ…
!!

うわあああッ!!
ドサッ
…ひ…
ヒナミちゃん… いっ…居たんだね…
……
ごめん… 僕 知らなくて…
ドキドキ…
あの… その…っ
ご…ごゆっくり…
バタン
……
………
……ビ… ビックリした…
ポポイ

おかえりー カネキくん
……
上にヒナミちゃん いるから部屋 入らないようにね
…先に 言って下さい…
…食べてるとこ 見ちゃった?
コクッ
…あらら
駄目だよ 女の子は 特にそこ 見られたくないからね
謝ってきたら?
…?? 謝るような ことですかね…
うわっ デリカシーないなー 意外と野蛮?
ええっ…?
ヒナミちゃんの お母さんも 来てるんですか?
ん?
リョーコさんは 話があるからって 下で店長といるよ
…何の話だろ
ほら… それよりも!
コト
謝罪ついでに コレ!
ヒナミちゃんに 持って行ってあげて

トン
トン
トン
コン
コン
ヒナミちゃん入るよー…
ガチャ
……
さ…さっきはごめんね…
ニコ…
虹のモノクロ
これサービスだからどうぞ
コト…
じゃあごゆっくり…

あの…
ん？ なーに？
………あの
お兄さんって…“どっち”なんですか？
………
……あ…
えっ…と…
な…何でもない…です…

ごめ…ごめんなさい
ほっ…他のみんなと…ゼンゼン…匂い…ち…違うから…
わたしたちと同じなら…すごく遠くでもすぐにわかるし…
……
──ウタさんにも言われたっけな…匂いのこと…
……僕さ…元は普通の人間なんだ
でも 事情で〝喰種《グール》〟の身体が混ざっちゃって…
今は普通の食事は摂《と》れないし…存在は君たちに近いんだと思う…
元…人間…??
気持ちは人間で身体は〝喰種〟って感じかな…
戻れるもんなら戻りたいけどね…
ハハ…
…ごめ…なさい変なこと聞いて

気にしないで
…こっちこそ
変な奴でごめんね
…こんな内気で大人しい子が…
変…じゃないです…
不思議ですけど…
さっきは〝肉《ヒト》〟を喰べてたんだよな…
…ん？
虹のモノクロ
あっ「虹のモノクロ」じゃないか！
ヒナミちゃん高槻《たかつき》さん読むんだ!?
内容難しいのに凄《すご》いね…
でも「モノクロ」は短編集だし比較的読みやすいかな？
パラ
パラ
ヒナミちゃんはどの話が好きなの？
僕は狂気の短編「なつにっき」か…
……えと
コメディ色の強い「ルサンチメンズ」かな
こ…こよ…ときあめ…？
〝こよときあめ〟…
ああ…「小夜時雨《さよしぐれ》」！

「黒山羊《くろやぎ》の卵」のプロトタイプになったやつだね
意外と怖いの平気なんだね
ぷろ…たいぷ…？
さよ…しぐれ…
あ…あのこれはなんて読むん…ですか…？
紫陽花《あじさい》
この〝あんたのし〟は…？
安楽死《あんらくし》だね
こ…これは…は…〝はく〟…？
…漢字…あまり読めないのかな…
これは〝薄い氷〟って書いて〝はくひょう〟って読むんだよ
でも…
他に〝うすらい〟って読み方もあるんだ
ニコッ
こっちの方が響きが綺麗じゃない？
…うんっ

…あ
…紫陽花…
小夜時雨…
カキ
カキ
へぇ…偉いね
ちゃんとメモしてるんだ？
…！
…が…学校…いってないから…
覚えたことコレに書いてるの…
お母さんがそうしなさいって
…そ…そうなんだ
…笛口さんがヒナミちゃんを学校に通わせないのは…
…ヒナミちゃんに"細い綱"を渡らせないためなのかな…？
…でも…

知識に飢《う》えてるんだろうな…ヒナミちゃん…
これは？これも時雨と似たような言葉…？
これは〝驟雨《しゅうう》〟っていうんだ
〝しゅーう〟？
うん
急に降り出す雨のことだよ
ゴロゴロ…
——では…これからはご自身で食事を？
…はい
いつまでも「あんていく」の方々にお世話になってばかりもいけませんし…
私がそうしたいんです

人を傷つけるのは恐ろしくて無理ですけど…
四方くんのようなやり方なら 私にも出来そうですし…
…そういうことならわかりました
…それでは今度四方くんに…
おすすめの場所を聞いておきましょうかね
…！
…何事も助け合いですよ笛口さん
……
──じゃあこれは…？
それはちょっと難しいよ〜
ヒントは「も」…
！

ヒナミ お待たせ
お母さん！
…あのね！カネキさんが…
ヒナミにたくさん言葉を教えてくれたの！
あらあら…良かったわね
ありがとうね カネキくん
いえ…僕も楽しかったです
…一雨《ひとあめ》来そうですな 傘をお貸ししましょう
あら…ありがとうございます
カネキさん
ありがとう…
また教えてください！

――本当に降り出して来たわね
ザァ
傘をお借りしていて良かったわ
〝しゅーう〟だよ お母さん!
…え?
急に降り出す雨のことだって
お兄ちゃんに教えてもらったの
フフ…カネキくんは物知りね
また色々教わろーっと!
バシャ
ビクッ
……ッ
……? ヒナミ…?

ザザ
お母さん…
走ろ…？
バシャ
バシャ
ザッ
ザッ
ヒナミ…
誰が追って来てるの…!?
タッ
大人の男の人…
二人いる…っ
ダッ
ザッ
…!?
!!
ヒナミ…!?
グッ

なに…この臭い…
——雨ってのは…ジメジメと実に不快なもんですなぁ…
ザア
視界は鈍るし仕事も捗《はかど》らない…
…しかし 雨が色々と流し消し去り 非常に助かる場合もある…
泥や汚れ…醜い豚の叫び声とかねぇ…
クク…
ちょっとお時間いただけますかねぇ？
ザ
笛口リョーコさん

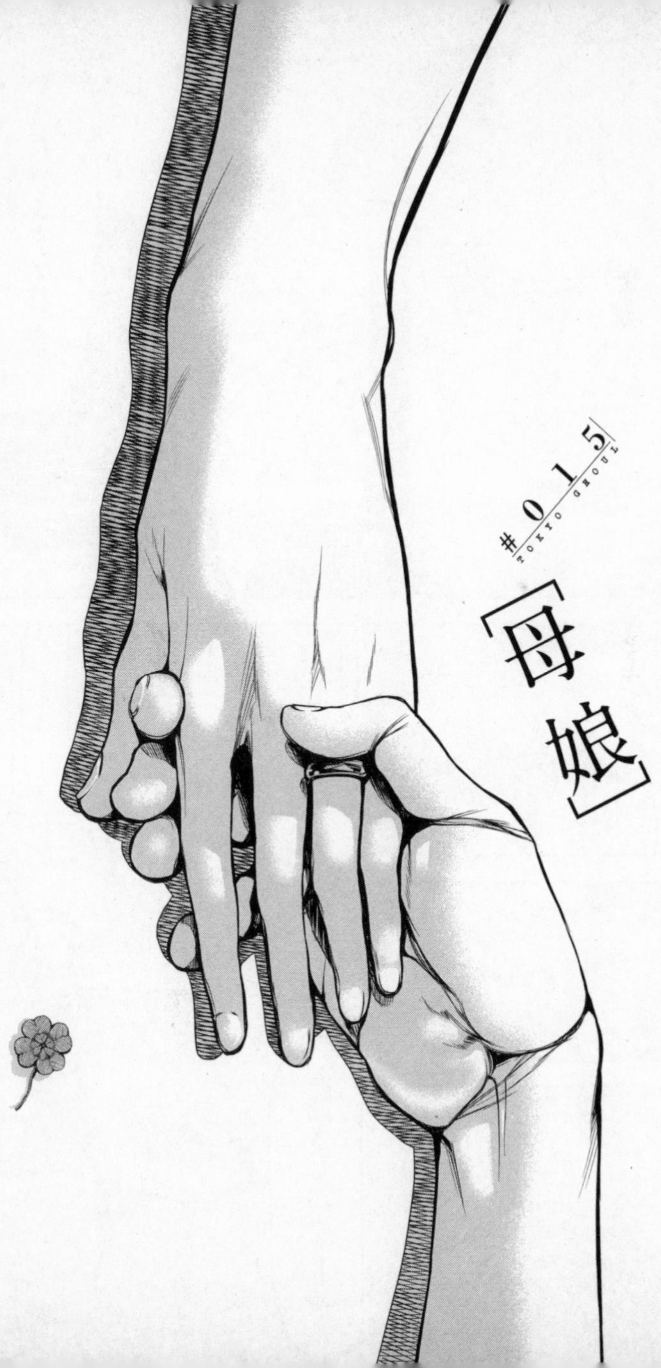
#015
TOKYO GHOUL
[母娘]

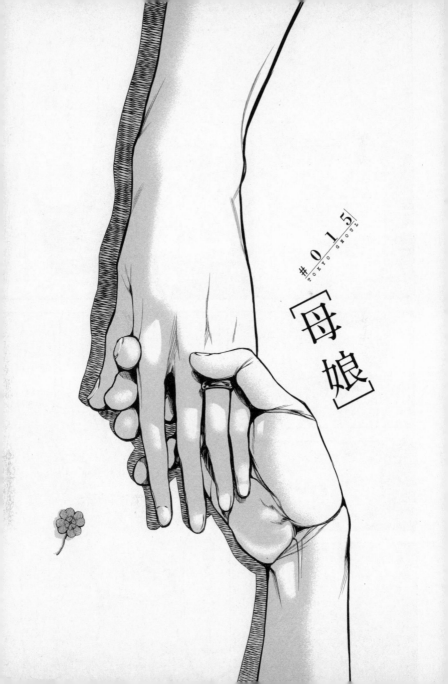

ザァ
——お時間いただけますかねぇ？
ァ
ァ
笛口リョーコさん…
ァ
コレについて
ス
ッ
……
ザァ
ァ
ァ
お聞きしたいことが

…どうしたんだ アレ？
ザァァァ
警察？
〝喰種《グール》捜査官〟です
危険ですので速《すみ》やかに立ち去ってください！
〝喰種〟？ じゃあ あの親子…
ウソだ～ 普通の人だろ
……
早く離れてください！
お母さん…
！
ガタ ガタ ガタ ガタ
……
ギュッ
……！
…ヒナミ

逃げて
ビキキ

…………
おか……
…さん…？
バサァ
…ッ!!
!!
赫子だ
いくぞ
はい

ぐあッ
中島《なかじま》さん!
おか…
行きなさいッ!!!
……お…
ッ!!
……ッッ

ズズ
ズ
通させない気だ
…亜門くん
はい
ドン
ズ
…………
ポイ
カチッ
!
…………
行かせないわ
ギッ
…調子に乗るな
クズめ
グッ

ザァァァ
──それじゃあ
お疲れ様でした
店長
お疲れ様
カネキくん
そうそう
明日からトーカちゃん
戻ってくるから
仕事は少し
楽になると思うよ
あっ…
はい…
…またトーカちゃんに
怒鳴《どな》られる日々が
戻ってくるのか…
トーカちゃん
仕事は出来るけど…
コマさんの方が
精神的に
楽なんだよな…
ザァァ
──しかし…
すごかったな

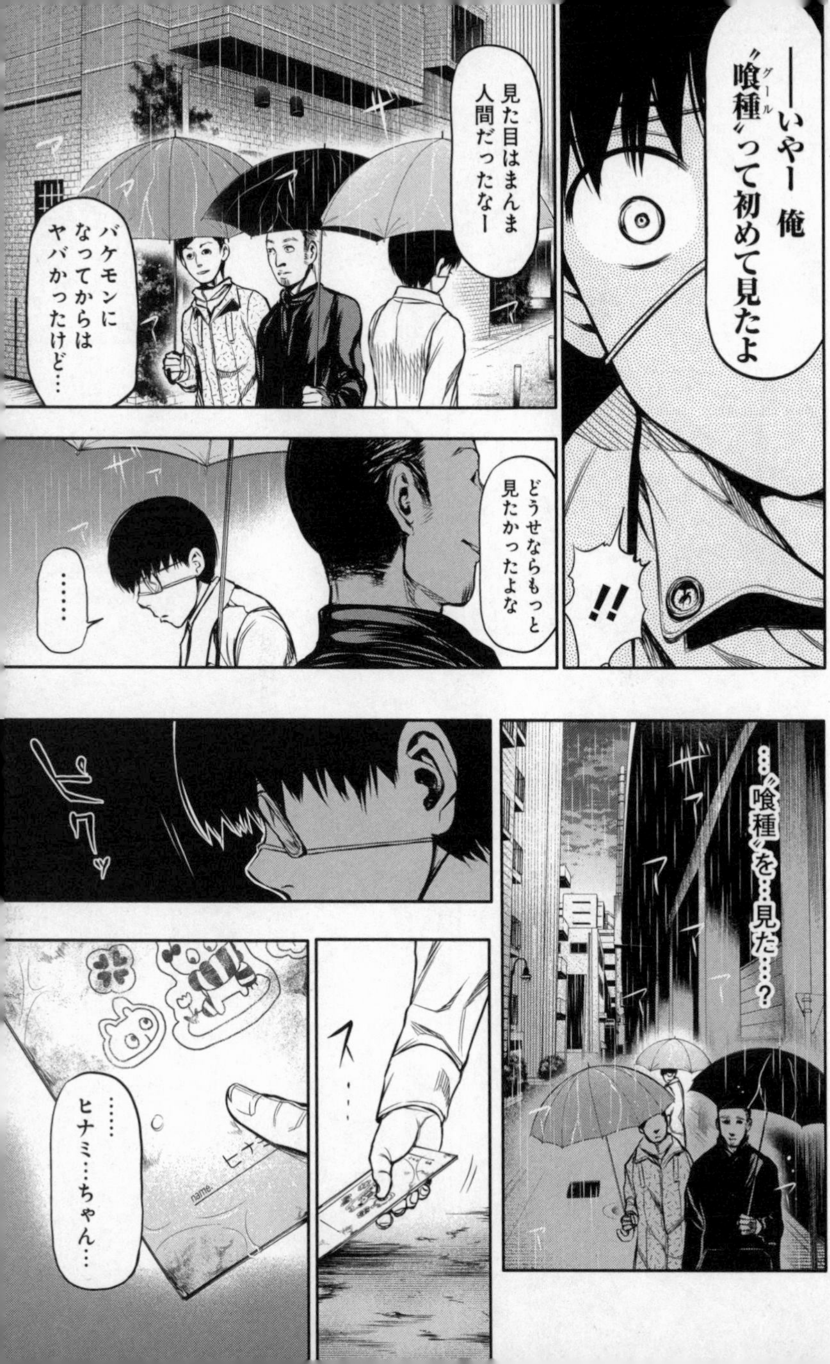
――いやー 俺
〝喰種《グール》〟って初めて見たよ
見た目はまんま人間だったなー
バケモンになってからはヤバかったけど…
!!
どうせならもっと見たかったよな
……
…〝喰種〟を…見た…？
ピクッ
ス…
……ヒナミ…ちゃん…

ザ
ア
…戦い慣れしていないな
赫子を使いこなせていない
母が子のため命を捨てる…クク…虫唾《むしず》が走るよ
貴様ら〝喰種《グール》〟が人間の真似事をしている姿は…
……

亜門くん 君はもういい
後は 私が…
……?
…コイツでやる
カチャリ

あ…あああっ…
あ…あなた…何を…ッ
ああ…嫌よ…そんなの…
クク…クク…
いい…いいぞ…最高だ…!!
悲嘆…絶望…憎悪…!!その表情だ!!
もっとだ…もっと見せろ…!!
ズオ

店長
090-XXXX-XXXX
──駄目だ… 出ない…
ヒナミちゃん… 笛口さん…
…でも…
トッ
………
もしも 僕の想像通りの事が 起きているなら…
こんな僕が… …僕なんかに 何が出来るんだ…？
トッ
トッ
僕一人が行って 何になる…
──じゃあ…
………

これは
なんて読むの？
あの子が
甘えられないもの
………………
……駄目だ
たとえ力不足でも
何もせずにいるなんて
出来ない…!!
タッ
……!!
カネキさんッ…!!
!

タッ
カネキさんッ
ヒナミちゃん？
よ…良かった…
おか…
お母さんが…
一人で…
うう…ああ…っ
………
…リョーコさん…
…行こう…

ハア…ハア…
……!
ピクッ
隠れてッ…
ザッ
ザァ
——まったく愚《おろ》かだな…

大人しく付いてくれば
こんな道の真ん中で
死ぬことはなかった…
ゆっくり「解体」してやったのに
internet cafe
せめてもの
情けだ
辞世の句でも
聞いてやろうか？
………
お母さ…
だっ…
駄目だ…
ヒナミちゃんッ！
駄目だよ…!!
どうすれば…
どうすればいいッ!!?
……
ヒナミ…
い…
おおっと

時間切れだッ
——思わず叫びそうになった
……ッッッ……
僕に出来ることは
この光景を
彼女に見せないように
することぐらいだった——

――はぁ～……
……
……ヤマ外した…
#016
TOKYO GHOUL
絶対古文ヤバイ…
CLOSE
……？
今日休みだっけ…？
まぁいっか

#016
TOKYO GHOUL
[幽囚]

カラーン
カラン
おはようございまー…
トーカちゃん
あっ 店長
やっぱいるじゃないですか
表の看板 逆でしたよ
それより聞いてくださいよ!
試験のヤマが外れて
トーカちゃん…
…上に来てもらえるかな
……?
はい…

四方さんまで…
…何があったんですか
………
………
…笛口さんが
〝喰種《グール》捜査官〟の手で…命を奪われた

…ヒナミちゃんを庇《かば》ってのことだったそうだ
……
グッ
ビクッ
リョーコさん…
……

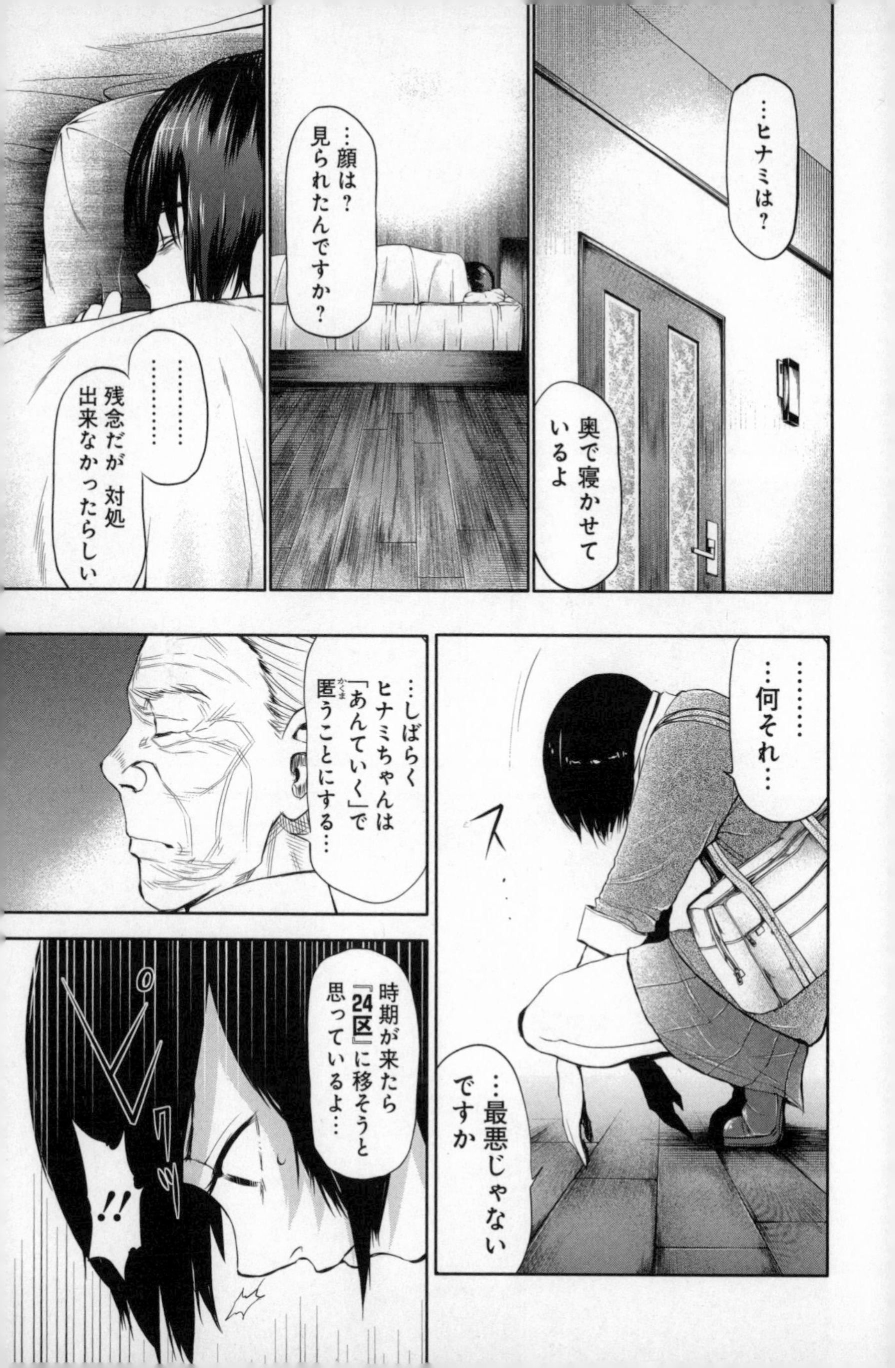
…ヒナミは？
奥で寝かせているよ
…顔は？見られたんですか？
…………
残念だが 対処出来なかったらしい
…………何それ…
…最悪じゃないですか
…しばらくヒナミちゃんは「あんていく」で匿《かくま》うことにする…
時期が来たら『24区』に移そうと思っているよ…
!!

冗談でしょ店長!?
あんなクソ溜《だ》めにヒナミ一人で生きていけるわけないじゃん!!
〃白鳩《ハト》〃を殺せばいい
あいつらがヒナミの情報を探り出す前に…
一人残らず
四方さんだっているし みんなで協力すれば…
………
駄目だ

〝白鳩《ハト》〟が20区で命を落とせば
好戦的な〝喰種《グール》〟が存在していると見られ目をつけられる…
そうなれば〝巣〟の連中は次々と新たな〝白鳩〟を20区《ここ》へ送り込むだろう …俺たちを狩り尽くすまでな
理解《わか》れ …トーカ
…でもっ…
トーカちゃん
……!
四方くんの言う通りだ 彼らに手を出してはいけない…
みんなの安全の為にはそれが最善なんだよ…
…〝最善〟?

仲間が殺されたのに黙って指咥《くわ》えて見てるのが…
………
店長の〝最善〟なんですか?
ヒナミは…お父さんもリョーコさんも〝白鳩〟に殺された…
仇《かたき》が討てなきゃ可哀相よ…!!
…………
……可哀相なのは…仇が討てないことじゃない
本当に哀れなのは…
復讐に囚《とら》われて自分の人生を生きられないことだ
ピクッ
……ギリ

私に……
キッ
私に言ってるんですか
…………
………
グッ
ガタッ
……ッ
バタン
……

あ…
あの…
…気にしないで
彼女も色々思う所があるようだから
古間くんと入見《イリミ》さんは四方くんから捜査官の画像を受け取っておいて
はい
重ねて言うが彼らには決して手を出さないこと
お客さんにも更に注意を促《うなが》してあげてくれ
………

誰が悪いというわけではない
ピクッ
我々〝喰種《グール》〟ですら捜査官を相手にする事は躊躇《ちゅうちょ》してしまうんだ
ス…
笛口さんの望み通りヒナミちゃんを助けられた事は何よりの救いだよ…
私が あの時 君からの電話に気付いていれば…
……済まなかった
………
……もしも…
もしも あの時 あの場に現れたのが 僕じゃなくて トーカちゃんだったら…
彼女だったら リョーコさんを…
…………
…………

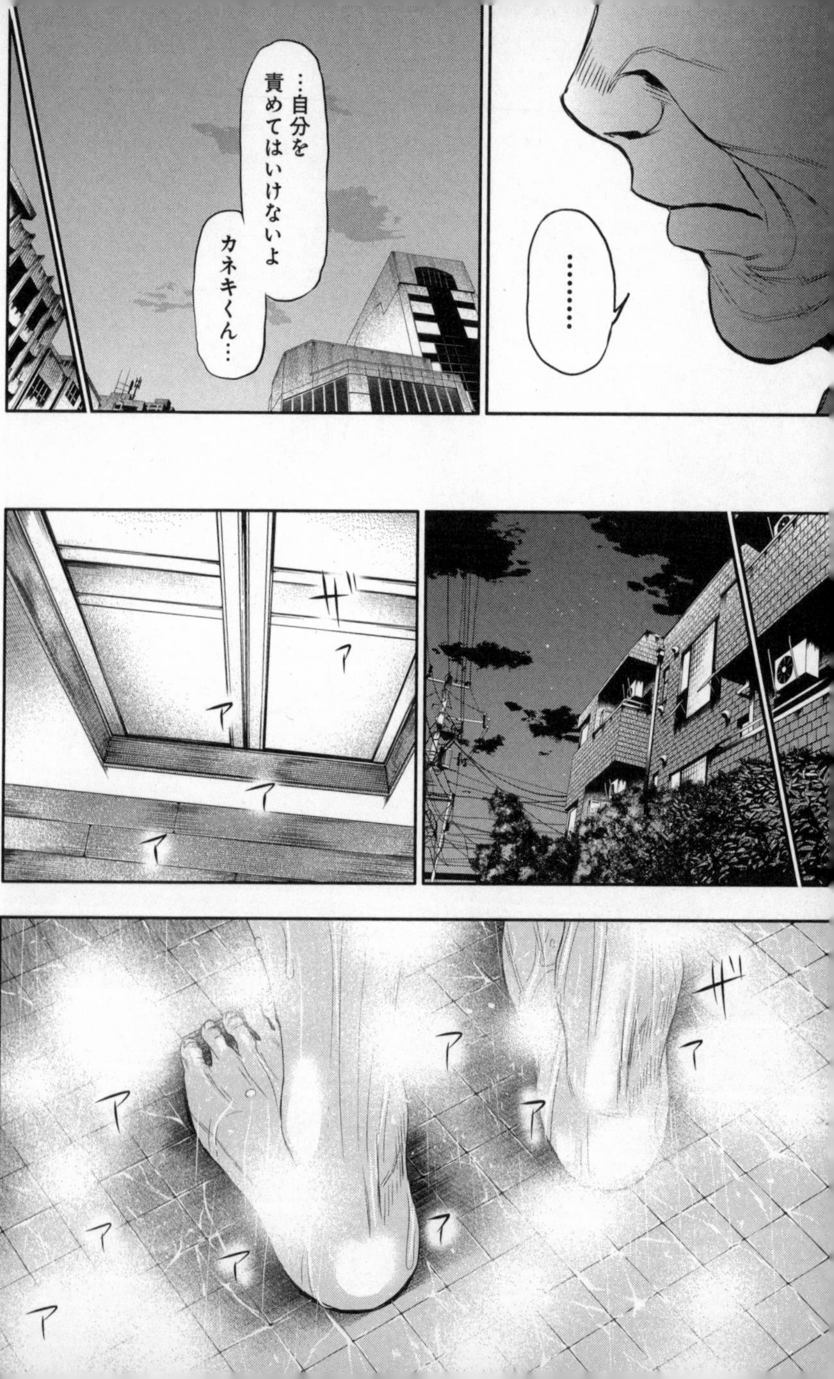
…………
…自分を責めてはいけないよ
カネキくん…
ザアアアア
ザアアアアアアアアア

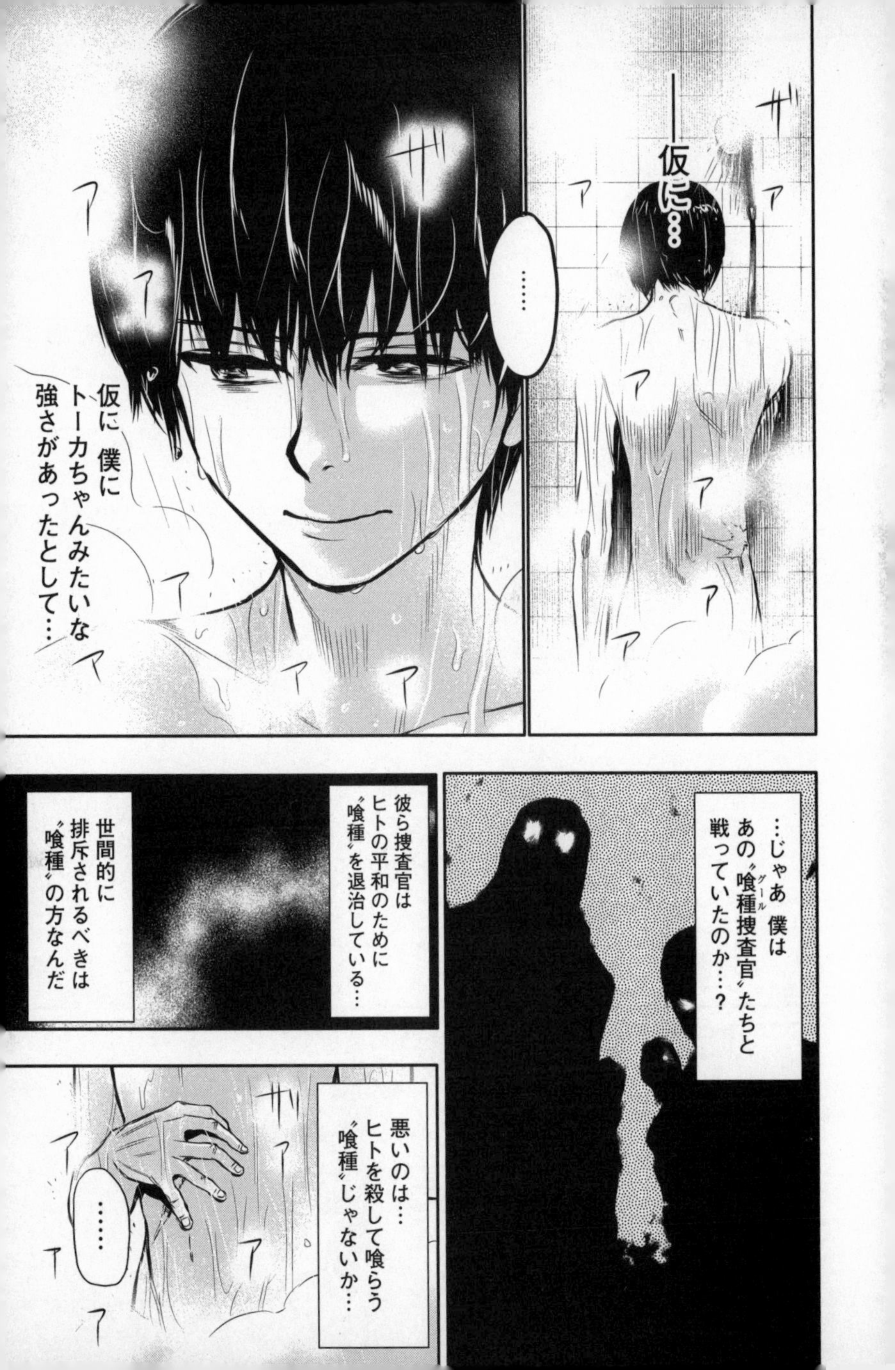
ザァァ
─仮に…
……
仮に 僕に トーカちゃんみたいな 強さがあったとして…
ザァァ
…じゃあ 僕は あの〝喰種《グール》捜査官〟たちと 戦っていたのか…?
彼ら捜査官は ヒトの平和のために 〝喰種〟を退治している…
世間的に 排斥されるべきは 〝喰種〟の方なんだ
悪いのは… ヒトを殺して喰らう 〝喰種〟じゃないか…
……
ザァァ

TOSHIGA
彼らは 何一つ 間違っていない…
結 制 練 練 結 属
6月10日
お母さんと一緒に買い物に行った。
四つ葉のクロバーの服を買ってもらった。
大事に着よう。
6月11日
スカイツリをみにいった。
中には入れなかったけど、すごく大きかった。
お父さんも一緒だったらよかった。
歓喜 かんき よろこぶこと
募る つのる いっぱいになること?
6月13日
食事の日。
おなかはすいてるけど
あまり食べたくない。
6月12日の分!
日記を書いてなかった。
あんていくにいった。
お母さんとニシムラさんが
なにか話してた。まってるの退屈だった。
四つ葉
唐突 とと つ いきなり
6月14日
いつもの食べる練習。
気持ち悪いしすぐに口から出しちゃった。
お母さんが
これが出来ないと人間の世界で
生活できないんだよ。出来るまでやりなさい!て
うので我まんして飲みこんだ。
いつかちゃんとできるようになるのかな。
ヒナミもトーカお姉ちゃんみたいに
制服きて学校いってみたいなー。
驚愕 きょうがく びっくりすること!
おとうさんの事を思い出して
また泣いてしまった。
おとうさんにあいたい。
おとうさんにあえないの
もうあえないの
あいたいよ
間違ってなんか…
……僕は……
……
……っ……

ザ
僕は 何も
出来なかった…
ア
ア
ア
ア
ア
ア
クソ…クソッ…

……
居た
——ヒナミ…
待ってな
リョーコさんの仇
とってやるから

#017
TOKYO GHOUL
──"723番"の娘…
No.0745
身長145～155cmほど
髪型 ショート
長めのコート、
"745番"の目撃情報は今のところ無しか
足取りが掴《つか》めない今は他の調査対象を追いつつ…
平行して745番を捜索してゆくのが最良かと
そうだな亜門くんの指針でいこう
所詮 小虫《こむし》… 遠くへは行けないさ
しかし こんなに早く一体 駆逐《くちく》できるとは我々も驚きですよ
あなた方の協力に感謝します
お二方には本部から特別の賞与もある事かと…
賞与…
しばらくは各人勝利の余韻《よいん》に浸《ひた》る事としましょう
………

#017 [兎面]

TOKYO GHOUL

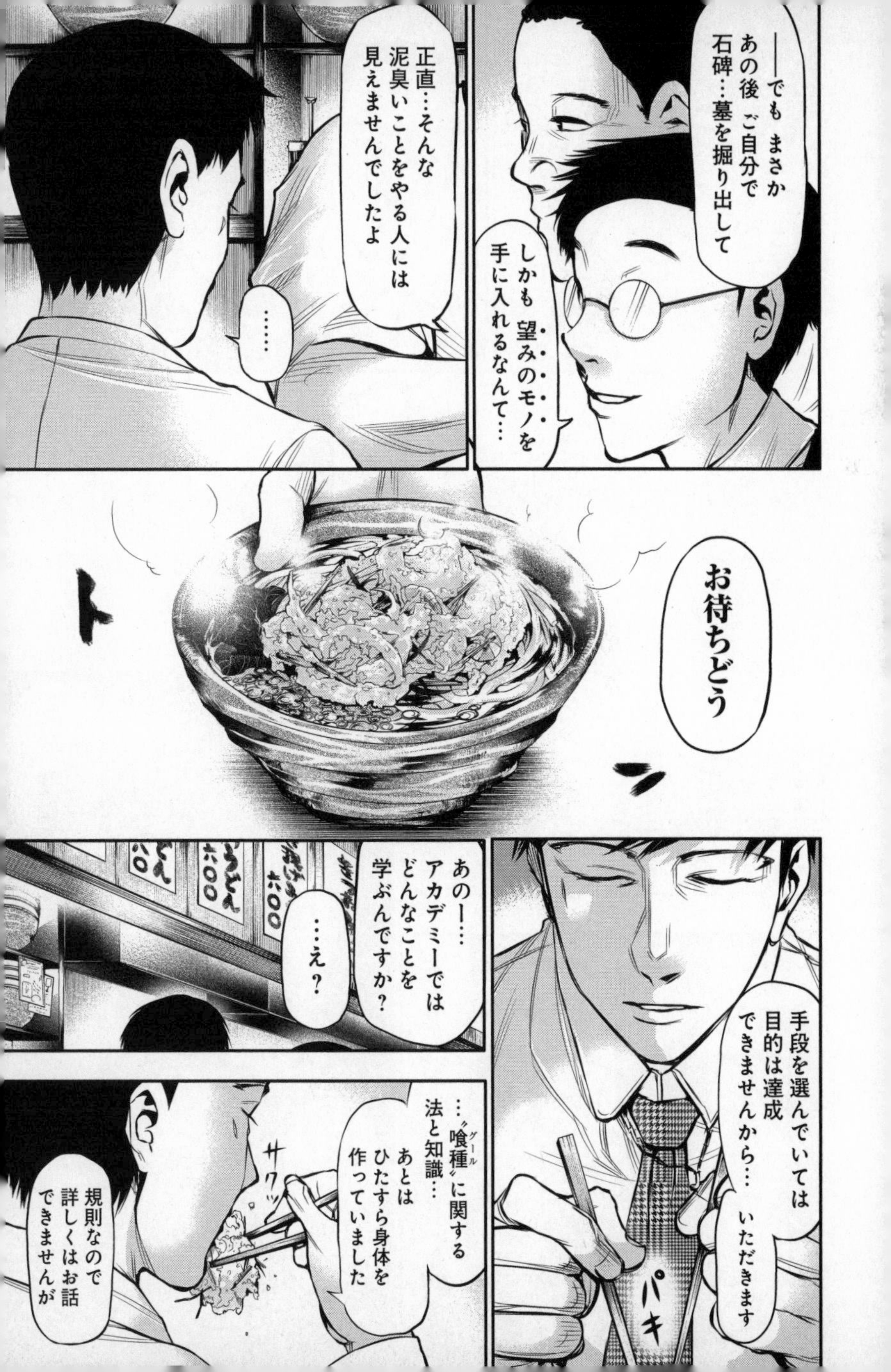
――でも まさか あの後 ご自分で 石碑…墓を掘り出して
しかも 望みのモノを 手に入れるなんて…
正直…そんな 泥臭いことをやる人には 見えませんでしたよ
……
お待ちどう
ト
ン
手段を選んでいては 目的は達成 できませんから…
いただきます
パキ
あのー… アカデミーでは どんなことを 学ぶんですか？
…え？
…〝喰種《グール》〟に関する 法と知識… あとは ひたすら身体を 作っていました
規則なので 詳しくはお話 できませんが
サクッ

女性もいるんですよね？どういう人が…
草場…やめろ恥ずかしい
同期では二人…両方ともに聡明で強い意志を持った女性でした
へぇー今でも会ったりするんですか？
いえ…二人とも殉職しました
ああ 殉しょ…
……へ？
すっ…すいません僕…
よくあることです
ひたむきな者ほど命を落とす…
ゴトッ
お先に失礼します
…お二人もお気を付けて…しばらくは特に

ひたむきな人ほど命を落とす…かー
頑張るのもほどほどにした方がいいんですかね
アホ言うな…仕事は山ほどあるんだ…他の区よりゃ少ないけどな
最近のデカイ事件はこの間の〝大喰い〟くらいですしね
あの事件って 今どうなんですか？
ザッ
ザッ
今はそれより〝美食家《グルメ》野郎〟だろ
それも本局の人たちがパパッと解決してくれればいいのに…
…他所《よそ》にデカい手柄取られたくないからって支部長が仕事回さないだろ
亜門さんは 手柄とか興味なさそうですけどね
本気で正義感だけで動いてるって感じで…凄いですよね
……
…本局の人間と比べても仕方ないぞ草場
…いや
ポン
…僕 ずーっと楽なデスクに行きたかったんですけど…
なんか彼を見てると…
こっちまで胸が熱くなるっていうか…

もっと現場で頑張ってみ
よかな
っつう

えれ?
草…
グラ
ドシャ
ビクッ
うさ…
お…お面…!?
ビュオ
!!
……

……!
ゴロ
ゴロ
中島さんッ
下がって!!
あ…
あもっ…

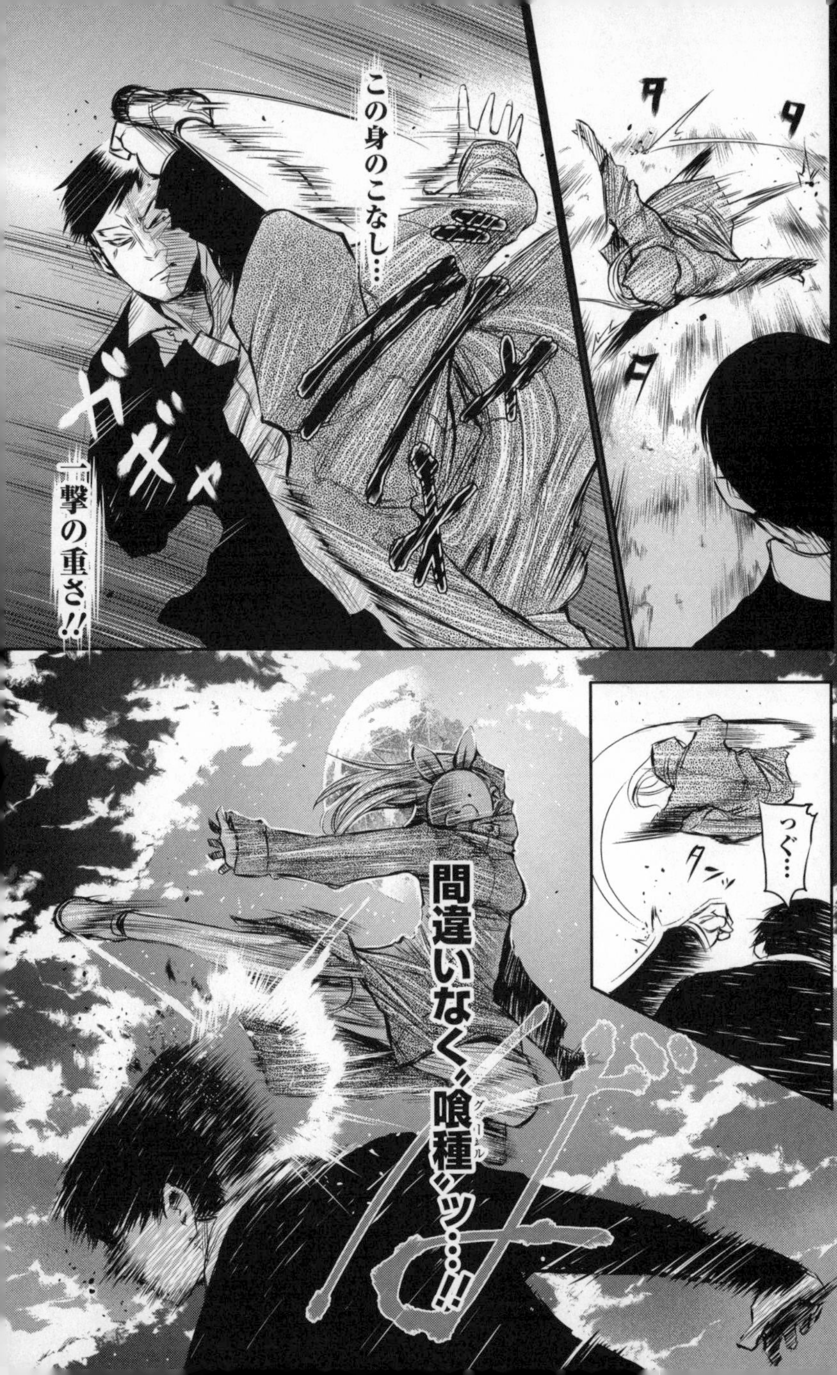
タ
タ
タ
この身のこなし…
ガギャ
一撃の重さ!!
つぐ…
タンッ
間違いなく"喰種《グール》"ッ…!!

……!!!
あの赫子……!
『羽赫《うかく》』……瞬発型の〝喰種《グール》〟かッ……!!

最悪のミスだ…!
〝アレ〟を忘れるとは…ッ!!
生身で受ければ必死ッ!!
!!!
──亜〜門
く〜ん〜…

駄目だろう
『クインケ《仕事道具》』を
忘れちゃあああぁ
ま…真戸さん!?
まったく…男前が台無しだな
下等な〝喰種《グール》〟ごときに遅れをとりおって…

――貴様のような『羽赫《うかく》』の〝喰種《グール》〟は俊敏性《スピード》に頼り切った単調な攻撃が特徴だ
バ
ッ
基本的に持久力不足
短期決戦を逃せば戦闘能力はグンと下がる…
ヒュオ
赫子《オモチャ》はどうした？
さっきので仕舞いか？
…ッッ
うッせェ!!!
……クク
ギ

馬鹿が
…貴様の存在など取るに足らんのだよ私にとっては…
ッあ!!

…私がこれまで
どれだけの〝喰種《ゴミ》〟を
葬ってきたと思っている
貴様も
その一匹に過ぎん
……
ダッ
!
トン
…フン
ギュチ
力量をはかる
頭はあったか…

――しかし…
〝ラビット〟…
『羽赫《うかく》』の〝喰種《グール》〟か
…あの動き
何人か「CCG」を
殺《や》っているな…
フー…
フー…
ハァ…
ハァ…
チクショウ…
クソ野郎…
ドクン
ドクン
ぶっ殺す…
絶対…
……

#018
TOKYO GHOUL

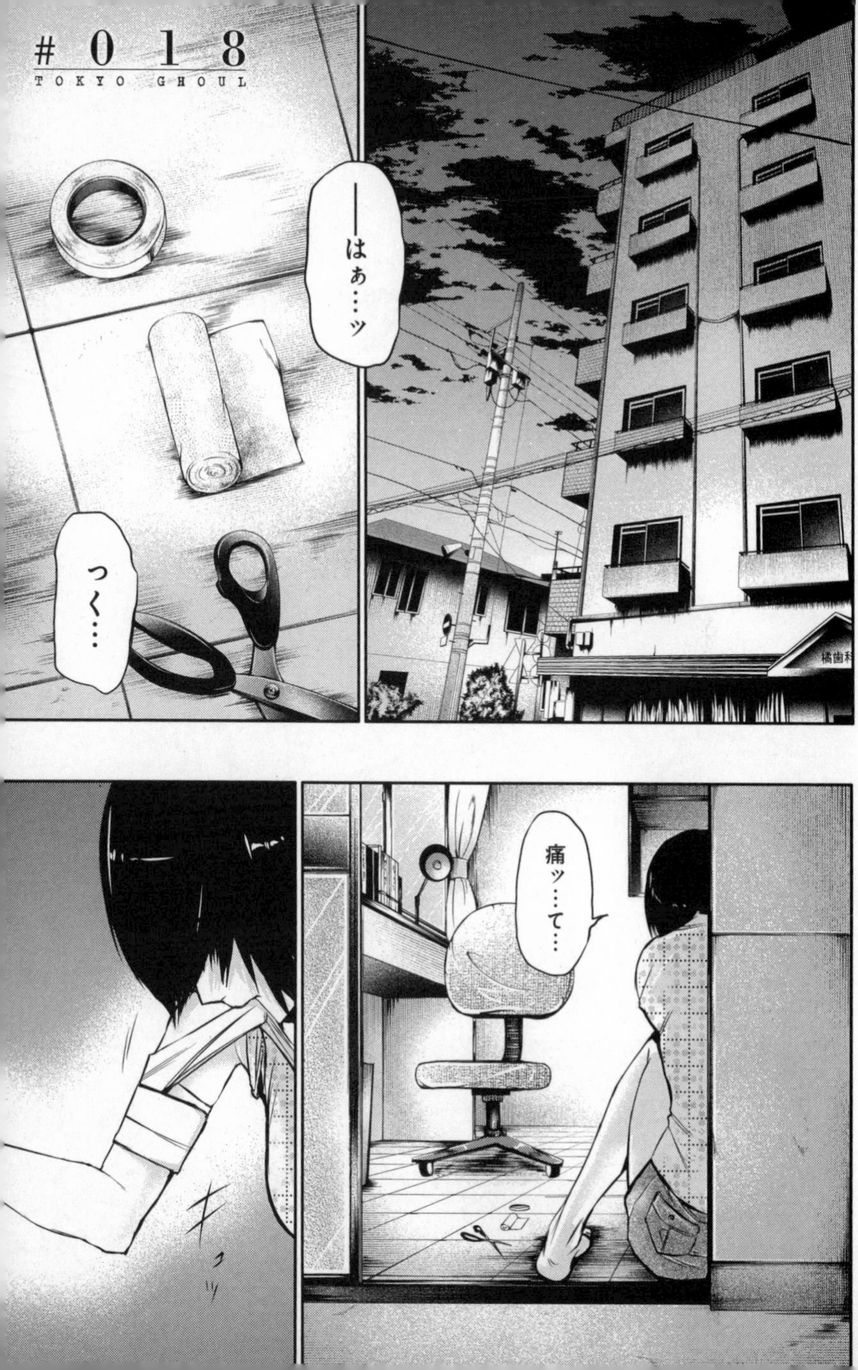

#018
TOKYO GHOUL
[未開]
……くっそ…

——あの〜
新人のきみ…
はい？
これ いつものと
違わんかのォ…
ワシ もっと
深煎《い》りのヤツじゃった
ような気がするの…
プル
プル
プル
あっ…すみません！
すぐにお取り替え…
いやぁ…いいんじゃよ
次からで…
あれ…
深煎りの豆って
どの缶だったっけ…
ゴソ
ゴソ
……？
倉庫の方かな…
ギッ
……！

…えっと
コーヒーに使う豆を
間違えちゃって…
エスプレッソ用の
豆って
どこだっけ…？
………
……なに？
また
怒鳴られるかな…
…次は
気をつけなさいよ
……！
こっちの
青ラベルのヤツ
使って…

ビ
キ
キ
ッ!?
ッあ…!!
ト…
バ
ラ
ラ
ラ
ラ
ラ

ドッ
トーカちゃ…
来んな!!
ほっといてッ
!!
ドンッ
………

血…？
捜査官《ハト》に…
彼らに
手を出したか

トーカちゃんが…捜査官に？
何で…
………
それより あの傷っ手当てしないと…
駄目だ
…えっ？
駄目だ
——と言っている

何を言っているんですか…だって…
彼女…血が…！
捜査官《ハト》に手を出したということは…
すべての責任を彼女が負う覚悟をしたということ
生きるも死ぬも他人が関与することではない
そんな…
でも…
『あんていく』は助け合いだって…
……じゃあ君は…

『あんていく』の“喰種《グール》”だけで
数百 数千の捜査官たちに立ち向かえると思うかい？
……
グッ
──店長は
色んなことが見えていて…
その上で決断されているんだと思います
…でも僕には…
捜査官に手を出すことがどれほどの覚悟なのかも
“喰種”の世界の掟も…
…何ひとつわかりません…

だから 僕は
ちゃんと自分の目で
見てから
どうするか
決めます！
ギッ
………
タッ…
……
…うん

ガチャ
…んだよ
手当て…
いらねぇよ
でも…血が…
……
…カンケーないでしょ
アンタに…

チョロチョロ鬱陶《うっとう》しいんだよ…
……
・・人間のクセに
ピクッ
………
…“喰種《グール》”も混じってるよ
…半端に仲間ヅラしやがって…
私の代わりにあのクソ“白鳩《ハト》”どもを殺してきてよ
…!
そんなに言うんだったらさ…
ねえ?

リゼの赫子を使えば出来るかもよ？
いつか ニシキをやったみたいにさァ
…できんの？
できねぇだろ？
…アンタみたいな小心者《ヘタレ》に
そんな度胸も覚悟もあるわけがない
店長も四方さんも誰も頼れない
…そんなこと全部わかってんだよ

…別に…
私みたいな人殺しが死ぬのはいい
……！
人間の中にもいい奴がいるのはわかってる…
…でも
リョーコさんやヒナミみたいな〝喰種《グール》〟が
一方的に殺されるのは我慢できない…
何も知らないクセに
……
――彼女は…理解しているんだ
…自分が間違っているって
『私みたいな人殺し』
何も見てないクセに
間違っているってわかった上で戦っているんだ

僕は…
……
僕は君の言う通り…人は殺せない
捜査官の存在が間違っているとは思わないし…
君が正しいとも思わない
………
でも あの日 リョーコさんの最期を見て強く思った
…?
人が死ぬのも 〝喰種《グール》〟が死ぬのも
それが 僕の知っている人だったら耐えられない
…僕は

もし トーカちゃんが死んじゃったら
…悲しいよ
あ…
…あ…
……っそ！
………
……結局
何が言いたいのよ…

僕に赫子のことを教えて
！
捜査官は殺せない…けど
何も出来ないのは
もう嫌なんだ
………
…フン
アンタにしちゃやる気じゃん
…クソカネキ

——はぁ…
遅い…
#019
[地下]
もう40分も待ってるのに…
なんかいつも待たされているような…
トーカちゃん
無題
今から店の前までこい。
…トーカちゃんまだかな…
おい
！

RANT
よ
うん…
……遅刻…
くるっ
ついてきて
…うん
もういいや…

閉店後の「あんていく」って初めてだな…
……!
ねぇ…2階の電気つけっぱなしでいいの？
…ヒナミが暗いと怖がるの
!
…そうだ ヒナミちゃん「あんていく」に居るんだった
……
…ちゃんと眠れているのかな…

……!
この下
ガコン
まだ地下が…?
カッ
カッ
ガチャン

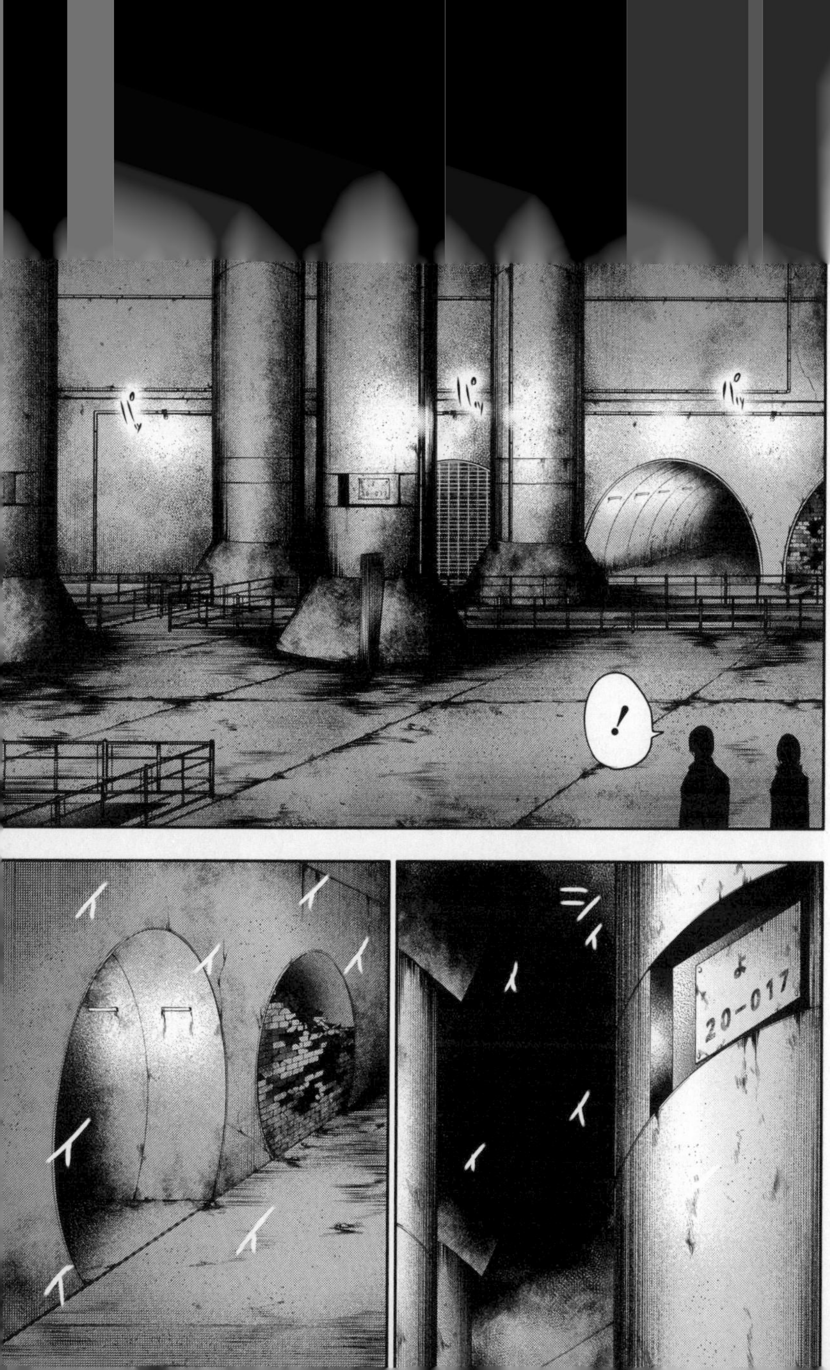
パッ
パッ
パッ
!
よ
20-017

ここは…?
カツン…
地下道
カツン…
昔の東京喰種《グール》が作った道
人間たちから身を隠すために
このホールより先に進むなよ?
…!
一人で行ったら迷って二度と出られないから
う…うん
――ねぇトーカちゃん
ここでどうするの…?

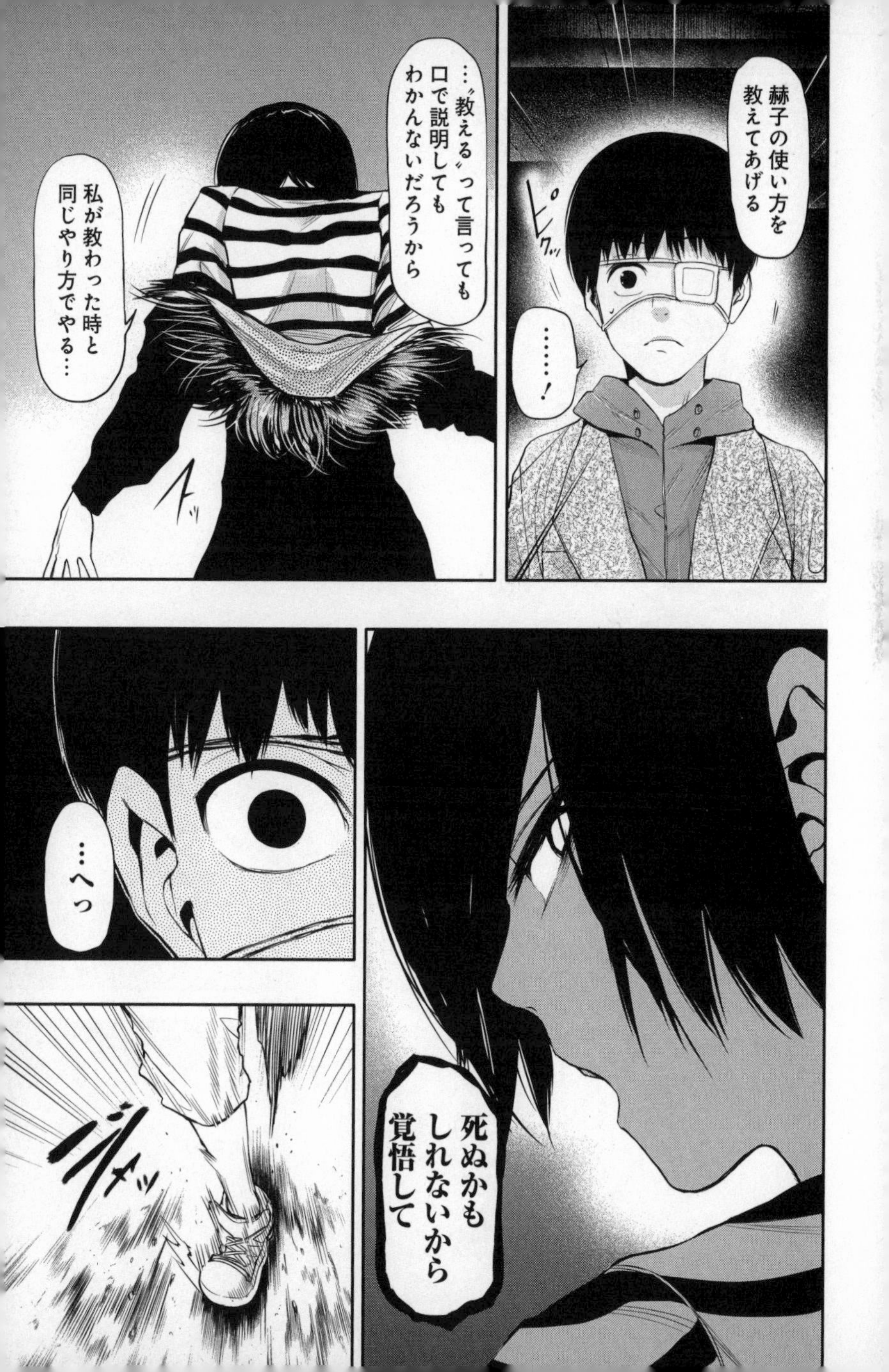
赫子の使い方を教えてあげる
ピクッ
……！
…〝教える〟って言っても口で説明してもわかんないだろうから
私が教わった時と同じやり方でやる…
ズッ
死ぬかもしれないから覚悟して
…へっ
ジャッ

ッ
!!
ド
ズ
えっ…

ドドッ
ぐっ…
つぶ…
おえええええッ
待ッ…
ちょっ…

…ッッ

スタ
スタ
……!
ガッ
…イマイチ危機感ないみたいね
!!
ト…トッ…トーカちゃん…?
折るよ

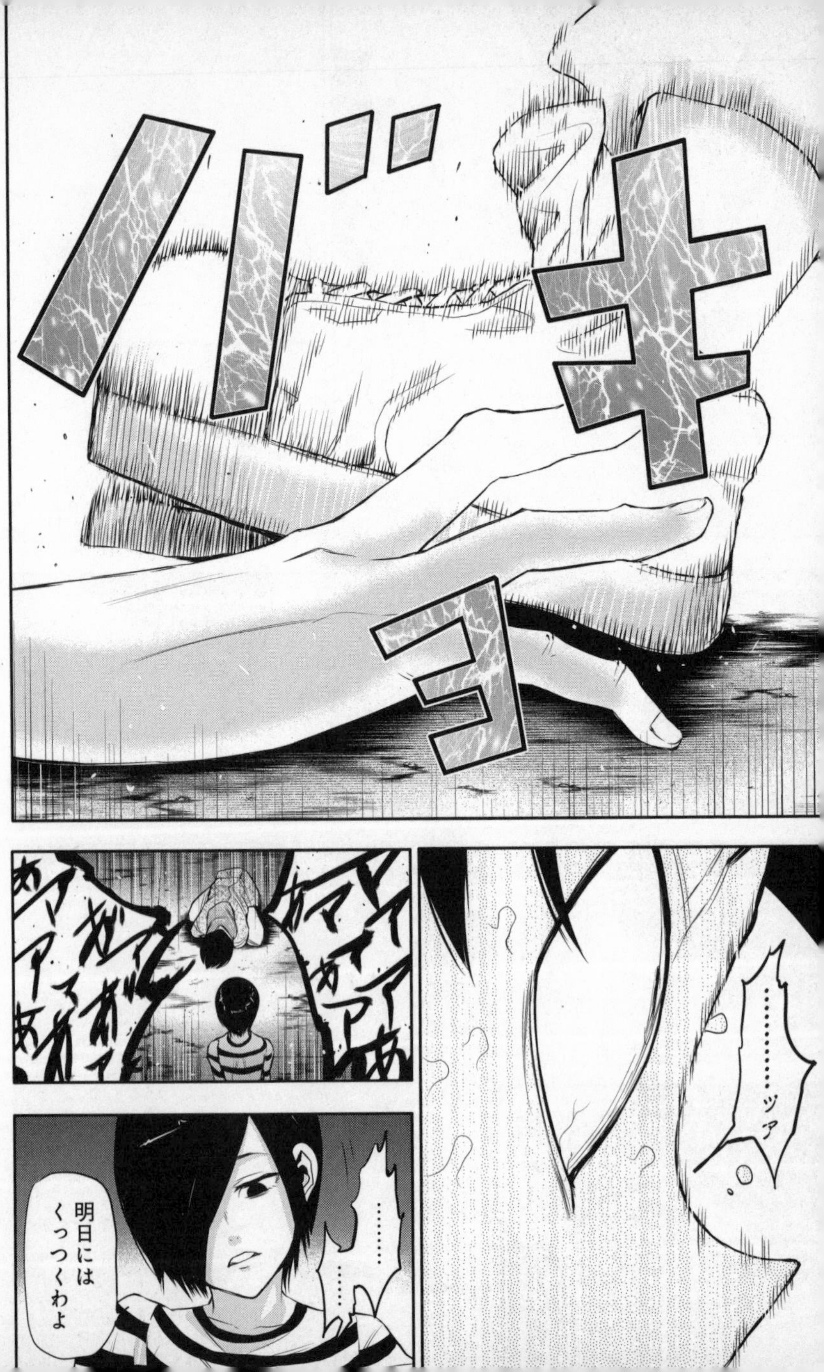
バキョ
…………ッア
…………
……
明日にはくっつくわよ

ピキ
でも…
ゾゾ
・・これはスグには治らないわよ
ゾゾ
そのまま死ぬかもね
……ッ
…その時はその時
本気…
こっちで処理してやる
本気で僕が死んでもいいって思っ…!!
死ッ

——やりゃ できんじゃん
!
ま… この前の赫子の方が もっと強力だったけどね
上に戻るよ
……
——カタチは 少し違うけど…
アンタはリゼ《あいつ》と同じ 『鱗赫《りんかく》』の〝喰種《グール》〟
『鱗赫』の〝喰種〟は 頑丈で傷の治りも早いし
しぶとさなら 他のヤツより優れてる
ギッ
それにリゼの怪力も 合わされば
腕さえ磨《みが》けば 受けても攻めても 戦える…
……

まずは 赫子を 引き出す感覚を 身体に焼きつける
自由に出し入れ 出来るようになるまで
赫子が出せない時の 接近戦も叩き込む として…
あとは 身体作りね…
とりあえず腹筋・背筋・腕立て・スクワット 毎日100回！
100回!?
へっ…
あ？
わああ
…何よアンタ こんな身体で 戦うつもり？ もっと 肉つけろ
…や…やるよ… やります…
わかりゃあいい
ガチャ
!

…………
じ――っ
あれ
ウタさん
ウ…ウタさん…
なん…
ゴメン
やッ…ちっ…
違いますよ
そんなんじゃ…
というか
どうしてお店に…
…マスクが出来たから
スグに届けたくて…
…ホントは
置いて帰ろうと
思ってたんだけど…
折角だから
カネキくんが
着けてるトコ
見たいな
……!

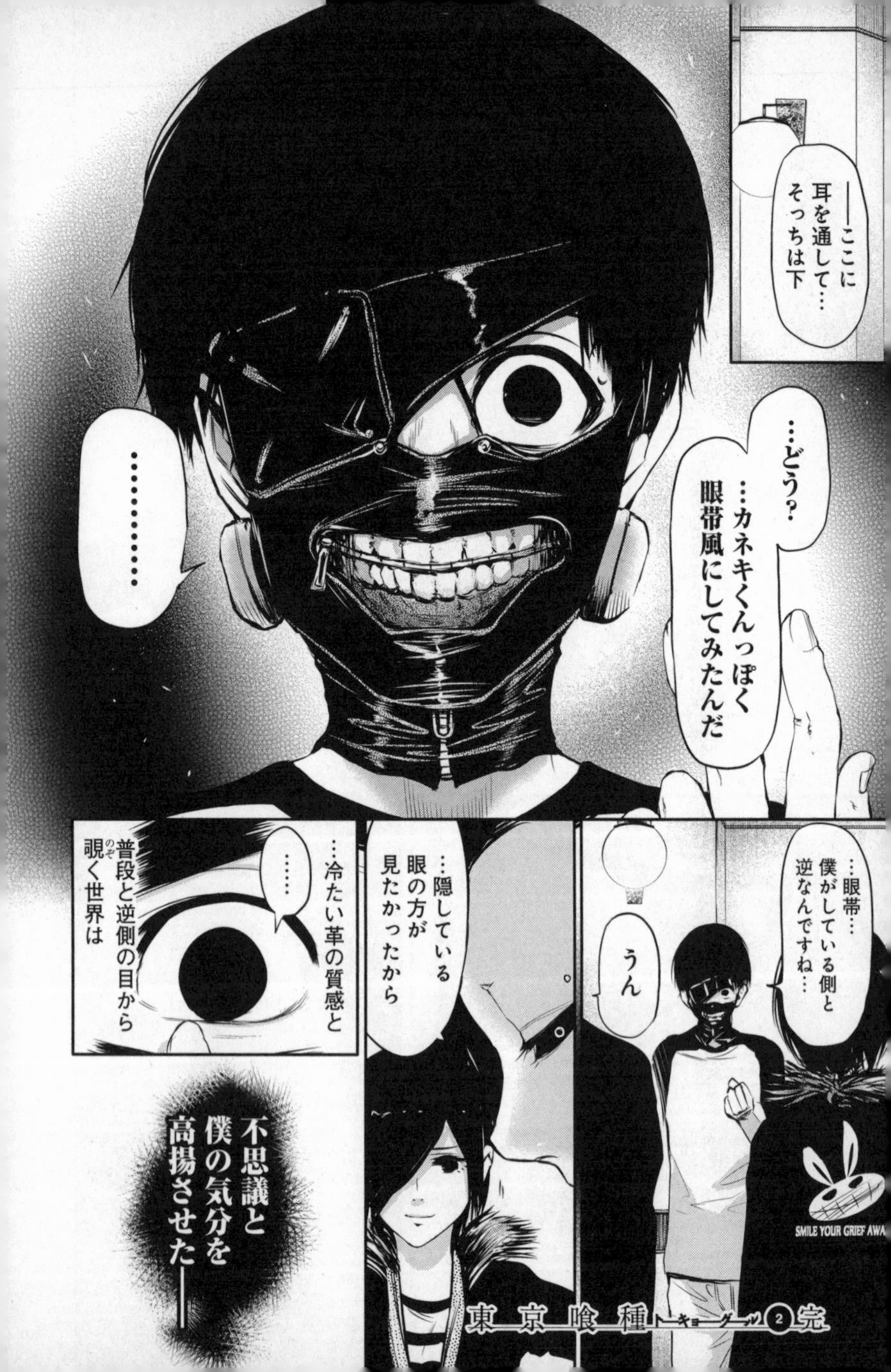

――ここに耳を通して…そっちは下
…どう？…カネキくんっぽく眼帯風にしてみたんだ
……………
…眼帯…僕がしている側と逆なんですね…
うん
…隠している眼の方が見たかったから
……
…冷たい革の質感と
普段と逆側の目から覗《のぞ》く世界は
不思議と僕の気分を高揚させた――
SMILE YOUR GRIEF AWA
東京喰種トーキョーグール②完

東京喰種
石田スイ

アシスタント
eda
宮本竜次

ヘルプ
井手瑞紀

編集
松尾淳平

デザイン
シマダヒデアキさん

四齣喰種
※本編とは一部関係ございません
へっ…馬のクソでも食ってるような気分だぜ
タイ焼き↓
…西尾先輩は馬糞の味をご存知なんですか
ああッ!? んなわけねえだろ これはホラ…比喩的なあれだろうがよ…
——おい知ってるか? ニシキが馬のクソを食べたらしい
牛のクソも食べたことがあるって話だぞ
あの野郎 食欲の方向性を見失ってるな
ヒソ ヒソ
…よお クソニシキ! 最近うんこばっか食ってるらしいな
……
キッタネー
それでは亜門くん調査報告を
はい
ターゲットは昼食をとるためにドーナッツマイスターに入店しました
注文はプレーンパウンドハッピークリスピーにふんわりタマゴのクリーミーチョコナッツ
ほっぺが落ちちゃう天使のドーナッツ…
…それからとろけ〜るブリュ…
「商品 数点」でまとめるのはどうかな
あっ…ハイ!

マスクが出来たから
スグに届けたくて…
折角だから
カネキくんが
着けてるトコ見たいな
ワク
ワク
はい
もうその まま
被る感じで…
そうそう
モゾ
モゾ
こうですか?
はじめは
カネキくんっぽく
眼帯風にしようと
思ってたんだ
でも
すごく
良いね
トーカちゃん
上に来てもらえるかな…
…?
はい…
入見さん…
古間さん…
大ぶ…カネキ…
四方さん…
それに…
カズオ…!?
………

おわり

KYO GHOUL
3
中!!
遂に「マスク」を手にしたカネキ。未だ見ぬ世界を知る為に、対立する「白鳩《ハト》」の敵陣へ足を踏み入れる。そこには、受け入れざるを得ない、哀しみの螺旋階段が続いていた…!?
ショートカット
身長145～150くらい
年齢13～15歳程度
…わかった？

次巻予告
東京喰種 3
TOKYO GHOUL
石田スイ
ISHIDA SUI
トーキョ
グ
絶賛発売
生徒
三年
顔も
ガキっぽいし
かあ…
助かっ
…彼女らは
間違っ

TOKYO GHOUL

「週刊ヤングジャンプ」H24年1号−12号まで好評連載されたものを収録しました。
ヤングジャンプ・コミックス

東京喰種 トーキョーグール 2

TOKYO GHOUL

ISHIDA SUI

発行日 2012年3月24日[第1刷発行]
2013年7月8日[第12刷発行]

著者 石田スイ

編集 株式会社ホーム社
〒101-0051
東京都千代田区神田神保町3丁目29番 共同ビル
電話=東京03(5211)2651

発行人 鈴木晴彦

発行所 株式会社 集英社
〒101-8050
東京都千代田区一ツ橋2丁目5番10号
電話=東京03(3230)6222(編集部)/03(3230)6191(販売部)
03(3230)6076(読者係)

Printed in Japan

製版所 株式会社 昭和ブライト

印刷所 図書印刷株式会社

ISBN978-4-08-879291-0 C9979